Learn Maltese
Why not?

by

Joseph Vella, M.A.

FIRST EDITION – 1993
SECOND EDITION – 1994
THIRD EDITION – 1996

© Valletta Publishing

ISBN 99909 - 58 - 02 - 5

Design of Cover:
Mark Dalli/Raphael Vella

Printed by Gutenberg Press, Tarxien, Malta.

Published in Malta by Valletta Publishing
75, Old Theatre Street, Valletta, VLT 07, Malta.

CONTENTS

CONTENTS

PREFACE

This course is divided into twenty-four lessons, each of which introduces a specific piece of grammar and new vocabulary. Each lesson begins with a text in Maltese, followed by an English explanation of the grammar involved, and a word-list. After this, there are exercises based on the lesson, to help consolidate your knowledge of Maltese (answers on page 172). Translations of texts are on page 194 and the Index to lessons notes on page 168.

It is suggested that you work through the book at your own pace, making sure that you have learned each lesson before you move on to the next. Try to supplement this course by listening and talking to people in Maltese, so that your knowledge of not only the language but also the people of this island, is enhanced. Above all try to enjoy it!

My thanks are due to Mr Jon Mitchell, B.A. (Hons) for his invaluable work and help with the vocabulary and translations of texts and to Mgr Laurence Cachia, Lic.D. who read the whole book through in proof.

Malta.   J.V

*To complement this course, there is also available a **Workbook**, by the same author.*

1

INTRODUCTION

HISTORY OF THE MALTESE LANGUAGE

Historically the Phoenicians were the first inhabitants of the Maltese Islands. They were followed by the Carthaginians from North Africa, who, after the Punic Wars, had to surrender these islands to the Romans. Of significant influence on the language was the occupation (around 869 A.D.) of the Arabs who came from North Africa and who gave us their Arabic language. They were followed by the Normans 220 years later, the Spaniards, the Knights, the French and lastly the British.

These events are also important to the history of the Maltese language, for the Arabic dialect of these islands gradually developed into the language we now speak and write. The Maltese language we speak today is made up of Arabic, Romance (Italian and Sicilian) and English - a linguistic mixture like English and many other languages. But the Maltese grammar and the primitive lexicon are Arabic, although both Italian and English have left a marked influence on Maltese pronunciation and syntax.

THE WRITING AND PRONUNCIATION OF MALTESE

The Maltese Alphabet consists of 30 letters, of which 24 are consonants and 6 vowels. The following is a list of the Maltese Alphabet: a, b, ċ, d, e, f, ġ, g, għ, h, ħ, i, ie, j, k, l, m, n, o, p, q, r, s, t, u, v, w, x, ż, z.

PRONUNCIATION OF THE CONSONANTS

(The following notes give only practical approximations.)

b   like b in boat
ċ   like ch in church
d   like d in door
f   like f in food
ġ   like j in jar
g   like g in gun
għ   *silent*, like gh in through, except at the end of a word. When silent it merely lengthens the adjacent vowel.
h   *silent*, like h in heir, except at the end of a word. When silent it merely lengthens the adjacent vowel.
ħ   like h in hat
j   like y in yet
k   like k in king
l   like l in life

2

m	like m in mother
n	like n in never
p	like p in pony
q	This is a glottal stop. It may be described as the act of breathing which is necessary in English to pronounce a word beginning with a vowel at the opening of a sentence, as:- "Is that so?" In Maltese this glottal stop is even stronger. Or the sound produced in Cockney pronunciation of *let*.
r	like r in rain
s	like s in sea
t	like t in table
v	like v in vote
w	like w in war
x	like sh in shop
ż	like z in buzz
z	like ts in bits

PRONUNCIATION OF THE VOWELS

Each of the vowels can be long or short.
short *a* is like *u* in shut and hut
long *a* is like *a* in far and bar
short *e* is like *e* in elf and shed
long *e* is like the 1st part of the diphthong in day
short *i* is like *i* in bitter
long *i* is like *ee* in deep
short *o* is like *o* in copper
long *o* is like the 'o' sound in caught
short *u* is like *u* in pulpit
long *u* is like *oo* in fool
The two vowels *ie* together are considered as one vowel and have the pronunciation of a long *i* (e.g. bierek = he blessed)

THE DIPHTHONGS

The following diphthongs occur in Maltese:-
aj like *igh* in high
aw like *ow* in cow
ej like *ay* in lay
ew a combination of short *e* and *w* (e.g. mewt = death)
iw a combination of short *i* and *w* (e.g. liwja = a bend)
għ + i like *ay* in day or like *eye*. Pronunciation of vowel sound varies throughout Malta and Gozo.

għ + u like *ow* in blow or like *ou* in thou. Pronunciation of vowel sound varies throughout Malta and Gozo.

għ at the end of a word is read like ħ, e.g. smigħ (smiħ)

h at the end of a word is also read like ħ, e.g. fih (fieħ)

għ + h are read like ħħ, e.g. tagħha (taħħa)

An apostrophe before or after a word is ignored when reading. It represents an original consonant which has been lost. At the end of a word it represents a lost GH which may reappear in other forms of the word, e.g. baqa', he stayed; baqgħu, they stayed.

At the end of words: b = p
$$d = t$$
$$ġ = ċ$$
$$g = k$$
$$v = f$$
$$ż = s$$

i before għ, h, ħ or q = ie, e.g. triq (trieq)

fih (fieħ)

POSITION OF THE ACCENT IN PRONUNCIATION

In Maltese words the accent never occurs before the last two syllables. Exceptions to this rule are loan words which have not adapted themselves to the structure of the language. These are very few.

When new words are learned it is suggested that you take note of the stress placed on each word. This stress is indicated in the word-lists by the symbol (ˊ) above the stressed syllable.

THE GENDER

The Maltese noun is either masculine or feminine. Most words ending in a are feminine, e.g. *tuffieħa* (f.), an apple; *langasa* (f.), a pear; *tifla* (f.), a girl, but *pulizija* (m.), a policeman is masculine.

As with stress, it is suggested that each word is learned along with its gender. This is also indicated in the word-lists.

L-EWWEL LEZZJONI

(The First Lesson)

DAN X'INHU?

Dan x'inhu?	Dak raġel.
Din x'inhi?	Dik mara.
Dan raġel?	Iva, dak raġel.
Dan ukoll raġel?	Le, dak mhux raġel.
Mela x'inhu?	Dak tifel.
Tifel kbir jew żgħir?	Tifel kbir.
Din mara?	Le, dik mhix mara; dik tifla.
Tifla kbira jew żgħira?	Tifla kbira.
Jien tifel jew raġel?	Int raġel.
Inti tifla jew mara?	Jiena mara.
Hu x'inhu?	Hu tifel żgħir.
Hi x'inhi?	Hi tifla żgħira.
Intom studenti?	Iva, aħna studenti.
Jien ukoll student?	Le, inti għalliem.
Dan x'inhu?	Dak ktieb.
Ktieb ġdid jew qadim?	Ktieb ġdid.
Dawn ukoll kotba?	Iva, dawk ukoll kotba.
Kotba ġodda jew qodma?	Kotba qodma ħafna.
Kemm hemm kotba?	Wieħed, tnejn, tlieta, erbgħa, ħamsa.
U dik x'inhi?	Dik tieqa kbira.
U dak x'inhu?	Dak bieb żgħir.
U dawk x'inhuma?	Ħajt, art, saqaf, mejda, siġġu .....
X'aktar?	Xejn.
Kif xejn!?	Oh! Iva, għalliem u studenti, inti u aħna.

GRAMMAR

1. There is **no Indefinite Article** (a, an) and **no Present Tense** of the verb **TO BE** in Maltese.

Jien raġel	I (am a) man
Int mara	You (are a) woman
Dan ktieb	This (is a) book
Dawk kotba	Those (are) books
Int student?	(Are) you (a) student?
Din dar?	(Is) this (a) house?

5

2. **The Adjective**

The adjective follows the noun it qualifies and agrees with it in gender and number, thus:-

ktieb (m.) ġdid	a new book
mejda (f.) ġdida	a new table
kotba (pl.) ġodda	new books

As a rule the feminine is obtained by adding *a* to the masculine singular adjective, thus:-

kbir (m.), kbira (f.)
żgħir (m.), żgħira (f.)
ġdid (m.), ġdida (f.)
qadim (m.), qadima (f.)

There is only one plural form to both masculine and feminine adjectives. It is suggested that you learn the plural which is indicated in the word-lists, because there is more than one way of forming it, e.g.

kbir (m.), kbira (f.), kbar (pl.) big
żgħir (m.), żgħira (f.), żgħar (pl.) small
ġdid (m.), ġdida (f.), ġodda (pl.) new
qadim (m.), qadima (f.), qodma (pl.) old

Adjectives borrowed from Italian, such as: interessanti (interesting), importanti (important), diffiċli (difficult), faċli (easy), kapaċi (capable), usually have the same form for both gender and number, e.g.

ktieb (m.) interessanti	an interesting book
ittra (f.) interessanti	an interesting letter
kotba (pl.) interessanti	interesting books

There are, however, exceptions, such as: kuntent (m.), kuntenta (f.), kuntenti (pl.), glad, content, satisfied.

Adjectives which show nationality have the following forms:-

masculine	feminine	plural
Ingliż (English)	Ingliża	Ingliżi
Taljan (Italian)	Taljana	Taljani
Ġermaniż (German)	Ġermaniża	Ġermaniżi
Spanjol (Spanish)	Spanjola	Spanjoli
Franċiż (French)	Franċiża	Franċiżi
Amerikan (American)	Amerikana	Amerikani
Ġappuniż (Japanese)	Ġappuniża	Ġappuniżi
Awstraljan (Australian)	Awstraljana	Awstraljani

6

| Malti (Maltese) | Maltija | Maltin |
| Għawdxi (Gozitan) | Għawdxija | Għawdxin |

3. Demonstrative Pronouns and Adjectives

masculine	feminine	plural
dan (this)	din (this)	dawn (these)
dak (that)	dik (that)	dawk (those)

dan ktieb = this (is a) book; din mejda = this (is a) table
dawn kotba = these (are) books; dawk tfal = those (are) children

4. The Personal Pronouns

jien, jiena, I	aħna, we
int, inti, you	intom, you
hu, huwa, he, it	huma, they
hi, hija, she, it	

More often than not these personal pronouns are left out because the endings of the finite verb indicate the person they refer to, thus:-
ktib*na*, we wrote; kitb*et*, she wrote; kit*bu*, they wrote.
They are only used for emphasis, thus:-
jiena ktibt l-ittra u mhux inti, *I* wrote the letter and not you.

Note 1.

After *kif* (how) and *xi, x'* (what), the particle *in* is added to the pronouns *hu, hi* and *huma*, e.g.
Kif int? How are you? but, kif *in*hu? How is he? Kif *in*hi? How is she? Kif *in*huma? How are they?
Dan x'*in*hu? What is this (m.)? Din x'*in*hi? What is this (f.)? Dawn x'*in*huma? What are these?

Note 2.

Since there is no present tense of the verb *To Be*, we sometimes make use of the personal pronouns instead, especially when we want to emphasize this verb, e.g.
dan *hu* (is) tiegħi u mhux tiegħek, this *is* mine and not yours.

Note 3.

The *negative present tense* of the verb *To Be* is rendered by the negative particle (ma, m'... x) + the personal pronouns, thus:-

m'iniex, I am not	m'aħniex, we are not
m'intix, you are not	m'intomx, you are not
mhux, he/it is not	m'humiex, they are not
mhix, she/it is not	

7

dan, din, dawn, this (m.), this (f.), these
x'inhú? x'inhí?, what is this (m.)? what is this (f.)?
ráġel (m.), irġíel, man, men
ukóll, also, too
mára (f.), nísa, woman, women
íva, yes
le, no
mhux, is not
méla, then
dak, dik, dawk, that (m.), that (f.), those
tfal, children
tífel (m.), tfal subíen, boy/s
kbir/a, kbar, big
jew, or
żgħir (pron. żajr or żejr), żgħíra, żgħar (pron. żâr), small
mhix, is not
tífla (f.), tfal bniet, girl/s
jien or jíena, I
int or ínti, you
hu or húwa, he
hi or híja, she
íntom, you (pl.)
studént, studénta, studénti, student/s
áħna, we; ktíeb (m.), kótba, book/s
għallíem (m.), għallíema (f, & pl.), teacher/s
ġdid/a, ġódda, new
qadím/a, qódma, old
ħáfna, many, much, a lot
kemm, how many? how much?
hemm, there
kemm hemm kótba? how many books (are) there?
wíeħed, tnejn, tlíeta, érbgħa, ħámsa, 1, 2, 3, 4, 5
u, and; tíeqa (f), twíeqi, window/s
bieb (m.), bibíen, door/s
ħajt (m.), ħitán, wall/s
art (f.), artijíet, land/s, country, countries/floor/s
sáqaf (m.), sóqfa, ceiling/s
méjda (f.), imwéjjed, table/s
síġġu (m.), siġġijíet, chair/s
x'áktar? what else? (áktar more)

xejn, nothing
kif xejn?! Wl..t do you mean, nothing?!
kelb (m), **klieb**, dog/s

TAĦRIĠ (Exercises)

(1) **Wieġeb il-mistoqsijiet li ġejjin** (Answer the following questions)
1. Dan x'inhu?
2. Din x'inhi?
3. Dawn x'inhuma?
4. Jien tifel?
5. Int student?
6. Dak ktieb ġdid jew qadim?
7. Dik mejda kbira jew żgħira?
8. Dawk ukoll studenti?
9. Hu x'inhu?
10. Hi x'inhi?
11. Huma x'inhuma?
12. Jien student jew għalliem?

(2.) **Agħmel mistoqsijiet** (Form the questions to these answers)
e.g. Dawn tfal. Dawn x'inhuma?

1. Dak ħajt. 2. Din mejda. 3. Dawk kotba. 4. Jien għalliem. 5. Inti studenta. 6. Hemm sitt (6) kotba. 7. Dan ħajt ġdid. 8. Din dar qadima. 9. Dawn kotba ġodda. 10. Dak siġġu żgħir. 11. Din tieqa. 12. Dak saqaf.

(3.) **Imla l-vojt** (Fill in the blanks with the following adjectives) ġdid/a/ġodda, qadim/a/qodma, żgħir/a/żgħar, kbir/a/kbar.

1. Dan ktieb qadim 2. Din mara żgħira
3. Dawn siġġijiet kbar 4. Dawk tfal kbar
5. Dik mejda ġdida 6. Dawk kotba ġodda
7. Din tieqa kbira 8. Dan bieb kbir
9. Dak ħajt żgħir 10 Dak saqaf kbir
11. Dan kelb kbir 12 Din art ġdida

(4.) **Aqleb għall-Malti** (Translate into Maltese)
What's that? That's a window. What's that? That's a door. Are those books? Yes, those are books. Are those old or new chairs? Those are old chairs. Am I a student? No. What am I, then? You're a teacher. And what are those? A wall, a floor, a ceiling, a table and a chair. What else? Nothing. What do you mean, nothing! Oh! Yes, a teacher and students, you and us.

9

IT-TIENI LEZZJONI

(The Second Lesson)

IL-FLUS MHUX KOLLOX

Dawk x'inhuma?
Fejn huma l-kotba?
Min hemm ħdejn il-mejda?
X'hawn aktar fil-kamra?

Dan il-bini x'inhu?
Kemm hawn kmamar f'din id-dar?

Mela, din id-dar kbira!
Ta' min hi did-dar?
U dik il-karozza s-sewda ta' min hi?
U dak iż-żiemel l-abjad ta' min hu?
Mela, kollox tas-sinjur?
Dik il-karozza s-sewda sabiħa, hux?
U dak il-kelb il-kbir sabiħ ukoll, hux?
Dak x'inhu fit-triq, kelb jew qattus?
U dik x'inhi, xemx jew qamar?
Ix-xemx tas-sinjur ukoll?
Ix-xemx le, imma l-flus, iva!

Mela, mhux bħali; jien fqir.

Le, mhux kollox. Saħħa.

Dawk kotba.
Fuq il-mejda.
L-għalliem.
Fil-kamra hawn l-istudenti, il-bieb, it-tieqa, is-saqaf, l-art u s-siġġijiet.

Dar.
Waħda, tnejn, tlieta, erbgħa, ħamsa, sitta, sebgħa, tmienja, disgħa, għaxra.

Iva, kbira ħafna.
Ta' wieħed sinjur.
Tas-sinjur ukoll.
Tas-sinjur ukoll.
Iva, kollox tas-sinjur.
Iva, sabiħa ħafna.
Iva, sabiħ ukoll.
Dak il-qattus l-iswed tas-sinjur.
Dik xemx.
Le, ħa, ħa, ħa ...
Mhux il-flus biss, imma t-tfal, il-mara, id-djar, il-klieb u l-qtates. Kollox tas-sinjur.
Fqir imma mhux marid. Il-flus mhux kollox.
Saħħa.

GRAMMAR

1. **The Definite Article**

   The Definite Article for all nouns is *Il-* (the).
   il-ktieb, the book (masculine, singular noun)
   il-mejda, the table (feminine, singular noun)
   il-kotba, the books (plural noun)
   In front of the so-called *Sun Letters* (ċ, d, n, r, s, t, x, ż, z) the definite

10

article *il-* changes, to match these letters, e.g.

ic̀-c̀omb, lead; *id-dar*, the house; in-nar, the fire; *ir-ras*, the head; *is-siġra*, the tree; *it-tin*, the figs; *ix-xemx*, the sun; *iż-żiemel*, the horse; *iz-zokkor*, the sugar.

After or in front of a vowel the definite article *il-* drops its vowel *i*, e.g.

ftaħn*a* l-bieb, we opened the door
morn*a* d-dar, we went home
kilt l-ikel, I ate the food

This rule holds good even when the following noun begins with a silent *għ* or *h*, e.g.
l-għamara, the furniture
l-hena, the happiness

If a noun begins with certain pairs of consonants, like (st, md, ms, sk, xk, etc.), the definite article *il-* drops its vowel *i* and adds a euphonic vowel *i* to the noun, e.g.

l-*i*student, the student; l-*i*mħadda, the pillow; l-*i*xkora, the sack; l-*i*skultura, the sculpture. But il-kbir, il-ħtif.

2. When a **preposition** is immediately followed by **the definite article**, it is joined to it to form one word, thus:-
fi (in) + il- *fil-*; fil-kamra, in the room
bi (with) + il- *bil-*; bil-ktieb, with the book
ma' (with) + il- *mal-*; mal-istudent, with the student
ta' (of) + il- *tal-*; tal-kelb, of the dog
sa (as far as) + il- *sal-*; sal-belt, as far as the city
minn (from) + il- *mill-*; mill-belt, from the city
għal (for) + il- *għall-*; għall-ħabib, for the friend
lil (to) + il- *lill-*; lill-qattus, to the cat
bħal (like) + il- *bħall-*; bħall-mara, like the woman.

Note that both *ma'* and *bi* have the same meaning (with); *ma'* is used with persons, whereas *bi*, as a rule, is used with animals and objects, e.g.
mal-ħabib, with the (my) friend
bil-kelb, with the dog

The prepositions are joined to Sun Letters in this way:-
tas-sinjur, of the (belong/s to the) rich man
mar-raġel, with the man
fit-triq, in the street
lit-tfal, to the children

11

3. **Colours**

masculine	feminine	plural
abjad (white)	bajda	bojod
iswed (black)	sewda	suwed
aħmar (red)	ħamra	ħomor
aħdar (green)	ħadra	ħodor
isfar (yellow)	safra	sofor
iżraq (blue)	żerqa (unused)	żoroq

karozza (f.) sewda, a black car
żiemel (m.) abjad, a white horse
kotba (pl.) ħodor, green books

4. As it has been pointed out in the first lesson, adjectives as attributes are placed after the noun they qualify. If the noun has the definite article, the adjective as a rule also has it, although it can be left out, thus:-

il-karozza s-sewda (or) il-karozza sewda, the black car
iż-żiemel l-abjad (or) iż-żiemel abjad, the white horse
il-qattus l-iswed (or) il-qattus iswed, the black cat
il-kelb il-kbir (or) il-kelb kbir, the big dog
il-kotba l-kbar (or) il-kotba kbar, the big books

5. Nouns qualified by **a demonstrative adjective** (see lesson one) **must** have a definite article, e.g.

dan il-bini, this building (lit. this (the) building)
din id-dar, this house (lit. this (the) house)
dik il-karozza s-sewda, that black car (or just sewda)
dak iż-żiemel l-abjad, that white horse (or just abjad)
dak il-kelb il-kbir, that big dog (or just kbir)
dawk il-kotba l-ħodor, those green books (or just ħodor)

Dan, din and **dawn** can be joined to the definite article to form one word with it, thus:-

dan il-ktieb or dal-ktieb, this book
din il-mara or dil-mara, this woman
dawn il-kotba or dal-kotba, these books
dan it-tifel or dat-tifel, this boy
din it-triq or dit-triq, this street
dawn is-siġġijiet, or das-siġġijiet, these chairs

Note 1. Wieħed (m.), **waħda** (f.) mean **one** when they follow the noun, e.g.
hemm raġel wieħed biss, there is only one man

12

hemm mara *waħda* biss, there is only *one* woman
When **wieħed** and **waħda** are placed before the noun, their meaning
is **a certain**, e.g.
wieħed raġel, a *certain* man
waħda mara, a *certain* woman
Ta' min hi l-karozza? Whose car is it?
Ta' *wieħed* sinjur, it belongs to a *certain* rich man
Note 2. A little difficulty arises when we come across such phrases,
as:-
dik il-karozza sewda. If the three words are grouped, it means **that
black car.**
If, however, **a small pause** is made after il-karozza, the meaning
would be: **that car (is) black.**
dak il-kelb kbir, that big dog
dak il-kelb (pause) kbir, that dog (is) big

WORD-LIST

fejn húma l-kótba? Where are the books?
fuq, on, above
min, who
ħdejn, by, near
min hemm ħdejn il-méjda? Who's there by the table?
hawn, here; **kámra (f.), kmámar**, room/s
x'hawn áktar fil-kámra? What else is here in the room?
dan il-bíni, this building
méla, well then; **dar (f.), djar**, house/s
din id-dar kbíra, this is a big house
ta' min hi? whose is it? **ħáfna**, very
ta' wíeħed sinjúr, a certain rich man's
u dik il-karózza s-séwda, and that black car
tas-sinjúr ukóll, the rich man's as well
żiemel (m.), żwíemel, horse/s
u dak iż-żiemel l-ábjad, and that white horse
kóllox, everything; **sabíħ/a, sbieħ**, beautiful
dik il-karózza s-séwda sabíħa, hux? That black car is beautiful, isn't
it? **sitta, sébgħa, tmíenja, dísgħa, għáxra,** 6, 7, 8, 9, 10.
hux, isn't it? (Fr. N'est-ce pas?)
dak x'inhú fit-triq? What's that in the street?
u dik x'inhí, xemx jew qámar? And what's that, sun or moon?
xemx (f.), sun; **qattús (m.), qtátes**, cat/s.
qámar (m.), moon

13

triq (f.), **tóroq**, street/s
ímma, but
il-flus, money; flus is a plural noun and must be treated as such.
biss, only
mhux bħáli, not like me; **bħal** like, **bħali** like me
jien fqir, I'm poor
fqir, fqíra, fqar, poor
fqir ímma mhux maríd, poor but not ill
maríd/a, mórda, ill, sick
il-flus mhux kóllox, money is not everything
sáħħa, bye.

TAHRIĠ (Exercises)

(1.) **Wieġeb dawn il-mistoqsijiet** (Answer the following questions)
    1. Fejn huma l-kotba?
    2. Fejn hu l-għalliem?
    3. X'hemm fil-kamra?
    4. Kemm hemm kmamar fid-dar?
    5. Ta' min hi din id-dar?
    6. Il-karozza s-sewda ta' min hi?
    7. Iż-żiemel l-abjad tas-sinjur ukoll?
    8. X'hemm fit-triq?
    9. Ix-xemx tas-sinjur ukoll?
    10. Il-flus ta' min huma?
    11. Kollox tas-sinjur?
    12. Jien fqir jew sinjur?

(2.) **Agħmel mistoqsijiet** (Form the questions to these answers)
1. Dawn kotba. 2. Fuq il-mejda hemm ħafna kotba. 3. Fil-kamra hawn l-istudenti u l-għalliem. 4. Iva, dik id-dar sabiħa ħafna. 5. Le, ix-xemx mhix tas-sinjur. 6. Le, il-flus mhux kollox. 7. Iva, hu marid. 8. Dik xemx, mhux qamar. 9. Iva, dak żiemel abjad. 10. Fid-dar hemm ħafna kmamar.

(3.) **Aqleb għall-Malti** (Translate into Maltese)
Who's there, by the table? The teacher. Where are the books? On the table. What else is here in the room? In the room, there are the students, the window, the ceiling and the chairs. This is a big house. How many rooms are there in the house? Ten. Whose house is it? A certain rich man's. That car is beautiful, isn't it? Yes, very. What's that in the street? A cat. Does the sun belong to the rich man, too? No, but money, yes! Not like me, I'm poor. Poor, but not ill. Money's not everything. Bye.

14

IT-TIELET LEZZJONI

(The Third Lesson)

GHAND TAL-HANUT

Is-Sur Camilleri hu tabib u għandu dar il-belt Valletta.

Martu, Marija, ħelwa ħafna u qalbha tajba.

Uliedhom huma ħelwin ukoll.

Għandhom tifel l-università u tifla s-sekondarja.

It-tifel, John, bravu, moħħu fuq il-kotba u dejjem l-ewwel fil-klassi.

It-tifla, Doris, mhix bħal ħuha, dejjem quddiem il-mera.

John m'għandux ħbieb. Fix-xitwa dejjem id-dar għand ommu u fis-sajf il-baħar tas-Sliema.

Doris għandha ħafna ħbieb, subien u bniet; dejjem barra ma' ħbiebha jew għand nannitha.

John twil bħal missieru.

Doris qasira bħal ommha.

John bravu imma dejjem igerger: "Illum is-sħana, m'għandix ġuħ ... illum il-bard, m'għandix għatx ... illum ir-riħ ... illum ix-xemx ..." dejjem għandu xi ħaġa.

Oħtu, Doris, mhix bħalu: "Illum piknik ... għada tieġ ... il-bieraħ disco ..." dejjem ferħana.

Kull filgħodu, is-Sinjura Camilleri tmur għand tal-ħobż, għand tal-laħam, għand tal-ħaxix u għand tal-grocer.

Darba f'ġimgħa tmur għand il-ħajjata, għand il-hair-dresser, u kultant għand id-dentist ukoll.

It-tabib ma jmur għand ħadd; dejjem l-ispiżerija.

GRAMMAR

1. **The Attached Pronouns**

   In addition to the detached personal pronouns (jien, int, hu, etc.) given in lesson one, Maltese has also pronoun endings which are joined to nouns, prepositions and verbs. They are:-

	Singular		Plural
	joined to consonants	joined to vowels	
1st Per.	- i	- ja	- na
with verbs	- ni	- ni	- na
2nd Per.	- ek, ok	- k	- kom
3rd Per.	- u (m.)	- h	- hom
	- ha (f.)	- ha	- hom

15

Joined to Nouns

dar (f.) house	omm, mother	ħu, brother
dar*i* my house	omm*i* my mother	ħija my brother
dar*ek* your house	omm*ok* your mother	ħuk your brother
dar*u* his house	omm*u* his mother	ħuh his brother
dar*ha* her house	omm*ha* her mother	ħuha her brother
dar*na* our house	omm*na* our mother	ħuna our brother
dar*kom* your house	omm*kom* your mother	ħukom your brother
dar*hom* their house	omm*hom* their mother	ħuhom their brother

Other examples:-

uliedhom, their children; moħħu, his mind; ħbiebha, her friends; missieru, his father.

Note:-
Feminine nouns ending in *a* originally ended in *at* (e.g. mar*at*, woman, wife, and tuffieħ*at*, apple). This original *t*, however, reappears when the pronominal suffixes are attached to it, e.g. marti (for marati), my wife. Loan words, such as nanna, grandmother, which have adapted themselves to the Maltese language, also have this final *t*, e.g. nannitha (for nannatha), her grandmother.

Joined to Prepositions

bħal, like	fi, in	ma', with
bħali, like me	fija, in me	miegħi, with me
bħalek, like you	fik, in you	miegħek, with you
bħalu, like him	fih, in him	miegħu, with him
bħalha, like her	fiha, in her	magħha, with her
bħalna, like us	fina, in us	magħna, with us
bħalkom, like you	fikom, in you	magħkom, with you
bħalhom, like them	fihom, in them	magħhom, with them

ta', of	lil, to	għand, to or at the house of
tiegħi, my, mine	lili, to me	għandi, to/at my house
tiegħek, your/s	lilek, to you	għandek, to/at your house
tiegħu, his	lilu, to him	għandu, to/at his house
tagħha, her/s	lilha, to her	għandha, to/at her house
tagħna, our/s	lilna, to us	għandna, to/at our house
tagħkom, your/s	lilkom, to you	għandkom, to/at your house
tagħhom, their/s	lilhom, to them	għandhom, to/at their house

Note 1: As well as meaning to or at the house of, the word *għand* may also refer to shops, e.g. *għand tal-ħobż*, to or at the baker's shop;

għand tal-laħam, to or at the butcher's; *għand id-dentist,* to or at the dentist's.

Note 2: The word *Għand* may also express the present tense of the verb *To Have,* e.g.

għandi, I have	m'għandix, I don't have
għandek, you have	m'għandekx, you don't have
għandu, he has	m'għandux, he doesn't have
għandha, she has	m'għandhiex, she doesn't have
għandna, we have	m'għandniex, we don't have
għandkom, you have	m'għandkomx, you don't have
għandhom, they have	m'għandhomx, they don't have

Note 3: As a general rule the attached personal pronouns are only used with relatives, parts of the body, and very few nouns. In all other cases, the possessive adjectives tiegħi (my), tiegħek (your), tiegħu (his), etc. are used, e.g.

With Relatives

ommi, my mother; *missieri,* my father; *ħija,* my brother; *oħti,* my sister; *binti* or *it-tifla tiegħi,* my daughter; *ibni* or *it-tifel tiegħi,* my son; *uliedi,* my children; *marti* or *il-mara tiegħi,* my wife; *żewġi* or *ir-raġel tiegħi,* my husband, etc.

With Parts of the Body

ġismi, my body; *rasi,* my head; *wiċċi,* my face; *għajni,* my eye; *widinti,* my ear; *imnieħri,* my nose; *xagħri,* my hair; *ħalqi,* my mouth; *moħħi,* my mind; *idi,* my hand; *sebgħi,* my finger.

With few other nouns

dari or *id-dar tiegħi,* my house.

With most nouns

il-kelb tiegħi, my dog; *is-siġġu tiegħi,* my chair; *il-ktieb tiegħi,* my book; *il-karozza tiegħi,* my car, etc.

WORD-LIST

għand tal-ħanút, at the shop
tabíb/a, tóbba, physician, doctor; **hu,** is
għándu, he has
belt (f.), **bliet,** city, cities
mártu, his wife; also, **il-mára tíegħu**
ħélu, ħélwa, ħelwín, nice
qalb (f.), **qlub,** heart/s
qálbha, her heart

17

tájjeb, tájba, tajbín good
qálbha tajba, warm-hearted (lit. her heart is good)
ulíedhom, their children; also, **it-tfal tágħhom**
għándhom, they have
l-università, at university
s-sekondárja, at secondary school
brávu, bráva, brávi, intelligent, clever
moħħ (m.), **imħúħ,** mind, brain
móħħu, his mind
móħħu fuq il-kótba, he's got his mind on books
déjjem l-éwwel fil-klássi, he's always the first in class.
bħal ħúha, like her brother
quddíem, in front of
méra (f.), **mírja,** mirror/s
ħabíb/a, ħbieb, friend/s
m'għandúx ħbieb, he has no friends
xítwa (f.), **xtíewi,** winter/s
fix-xítwa, in winter
id-dar għand ómmu, at his mother's house
sajf (m.), **sjuf,** summer/s
fis-sajf, in summer
báħar (m.), **íbħra,** sea/s
il-báħar, at the seaside
tas-Slíema, in Sliema
bárra, out, outside
ma' ħbíębha, with her friends
nánna, nanníet, grandmother/s
għand nannítha, at her grandmother's house
twil/a, twal, tall
missíer, missirijíet, father/s
qasír/a, qósra, short
ómmha, her mother
déjjem igérger, he's always moaning/grumbling
illúm is-sħána, today it's hot; **il-bard,** it's cold
m'għandíx ġuħ, I'm not hungry, **m'għandíx għatx,** I'm not thirsty
(**għándi l-ġuħ,** I'm hungry); (**għándi l-għatx,** I'm thirsty)
illúm ir-riħ, today it's windy
illúm ix-xemx, today it's sunny
déjjem għándu xi ħáġa, he's always got something (to say)
óħtu mhix bħálu, his sister is not like him
għáda, tomorrow

tieġ (m.) tiġijíet, wedding/s
illúm tieġ, today a wedding
il-bíeraħ, yesterday
ferħán/a/in, happy
kull filgħódu, every morning
tmur, she goes
għand tal-ħobż, to the baker's shop
ħobż (m.), bread; ħóbża, ħobżíet, loaf, loaves
għand tal-láħam, to the butcher's
láħam (m.), meat, flesh
għand tal-ħaxíx, to the greengrocer's
ħaxíx (m.), vegetables, grass
dárba f'ġímgħa, once a week
ġímgħa (f.), ġimgħát, week/s
għand il-ħajjáta (f.), to the dress-maker
ħajját/a/in, tailor/s
kultánt, sometimes
ma jmur għand ħadd, he doesn't go to anybody's house
déjjem l-ispiżeríja, he's always at the pharmacy

TAĦRIĠ (Exercises)

(1.) **Wieġeb dawn il-mistoqsijiet:-** (Answer the following questions)
1. X'inhu s-Sur Camilleri? 2.Miżżewweġ (Is he married)? 3. Fejn għandu dar? 4. X'jisimha martu (What's his wife's name)? 5. Kemm għandhom tfal? 6. John bravu l-iskola? 7. Doris brava bħal ħuha? 8. Għandhom ħbieb? 9. Illum għandek ġuħ? 10. Għandek għatx? 11. Illum ix-xemx jew ir-riħ? 12. Illum is-sħana jew il-bard? 13. Fejn tmur is-Sinjura Camilleri kull filgħodu? 14. Fejn tmur darba f'ġimgħa? 15. Fejn imur it-tabib Camilleri?

(2.) **Imla l-vojt:-** (Fill in the blanks)
ex. Om...... (her mother) = Ommha
1. Missier...... (my father), 2. Ulied...... (our children), 3. Ibn...... (your son), 4. It-tifel ...... (her son), 5. Id...... (your hand), 6. Għajn...... (my eye), 7. Dar...... (your house), 8. Bint...... (my daughter).

(3.) **Aqleb għall-Malti:-** (Translate into Maltese)
Mr. Camilleri is a doctor and has a house in Valletta.
He is married and has a son and a daughter, John and Doris.
His wife, Mary, is very nice and warm-hearted. John is intelligent and is always the first in class. Doris is not like her brother; she is always out with her friends. John is tall, but Doris is short like her

19

mother. John is always moaning that (li) it is hot or cold. Doris is always happy; today she has a wedding, tomorrow a picnic, yesterday a disco, ...

Every morning her mother goes to the baker' shop, to the butcher's and to the grocer's. Once a week she goes to the hairdresser's. The doctor doesn't go to anybody's house; he's always at the pharmacy.

IR-RABA' LEZZJONI

(The Fourth Lesson)

KULJUM FIS-SAKRA

Ara dak ix-xiħ kif ħareġ barra!

Hemm x'libes? Żarbun aħmar!

Miskin, ħaseb li llum il-Karnival.

Jew xorob xi ftit inbid żejjed.

Dak dejjem hekk.

Kif dejjem hekk?

Mela, il-bieraħ ukoll xorob. Kien fis-sakra.

Għaliex?

Għax kien imdejjaq.

U llum, għaliex xorob?

Illum, għax ferħan.

Ħa, ħa, ħa. Tajjeb, mela kuljum fis-sakra!

Kuljum. Il-bieraħ raġel ieħor ħabat miegħu fit-triq.

Iva!? Min kien?

Ibnu l-kbir.

Ibnu l-kbir?

Eh! Kien bħalu fis-sakra wkoll.

Tassew!

Mela, miskin, xorob għax kien imdejjaq li missieru kien fis-sakra.

Ħa, ħa, ħa. U hekk kienu ferħanin it-tnejn.

Ix-xiħ waqa' fit-triq u t-traffiku kollu waqaf.

Ma kienx hemm pulizija?

Iva.

Allura?

Il-pulizija bagħat malajr għal martu.

Sewwa għamel.

Taf fejn kienet?

Id-dar?

Le.

Il-knisja?

Le.

Fit-triq?

Le.

Mela, fejn kienet?

Kienet għand tal-ħanut ta' l-inbid.

Ħa, ħa, ħa. Miskina, kienet imdejqa hi wkoll!

GRAMMAR

1. The Past Tense of the Verb To Be

The verb *To Be KIEN* (lit. he was) is a *weak* verb, and will be treated in full in lesson 13, where it is included among the *Hollow Verbs*. As it is used so often, however, its Past Tense is given here.

kont	I was	konna	we were
kont	you were	kontu	you were
kien	he was	kienu	they were
kienet	she was		

Negative of Kien

ma kontx	I was not	ma konniex	we were not
ma kontx	you were not	ma kontux	you were not
ma kienx	he was not	ma kenux	they were not
ma kenitx	she was not		

Note 1. The accent in the negative form always falls on the last syllable. In this case the final *na* and *ha* change into *nie* and *hie* respectively, e.g. kon*na*, ma kon*niex*; ghand*ha*, m'ghand*hiex*.

Note 2. When the accent moves forward, the long vowel *ie* is shortened into *e* or *i*, e.g. k*ie*net, ma k*e*nitx or ma k*i*nitx; k*ie*nu, ma k*e*nux or ma k*i*nux.

Note 3. The final vowel *e* of kien*et* changes into *i* in the negative, e.g. ma ken*i*tx or ma kin*i*tx.

2. The Maltese Verb

The Maltese verb is mostly based on roots of *three consonants*. Thus, the basic meaning of *killing* is given by the three consonants *q t l*. The simplest form of a verb is the third person masculine singular of the Past Tense, which is called the *Verb Stem*. For example, *qatel* means, he killed or he has killed. The vowels between the three consonants vary, e.g. ħar*e*ġ, he went out; l*i*bes, he dressed; daħal, he entered; x*o*rob, he drank; fetaħ, he opened; feħem, he understood. There is *no Infinitive Mood* (to write) in Maltese. This will be cited by its verb stem, e.g. *kiteb, to write* (lit. he wrote).

Tenses

There are only two main tenses, the *Past*, denoting actions completed at the time to which reference is being made; and the *Present/Future* for incomplete actions. There is also an *Imperative*, which may be considered a modification of the present/future.

The Past Tense

The Past Tense is formed by adding to the *stem* the following endings.

Singular		Plural	
1st. Pers.	- t	1st. Pers.	- na
2nd. Pers.	- t	2nd. Pers.	- tu
3rd. Pers. masc. *stem*		3rd. Pers.	- u
3rd. Pers. fem.	- et		

Sometimes these endings cause some changes in the construction of the verb.

Singular

ktibt (for kiteb + t), I wrote, I have written
ktibt (for kiteb + t), you wrote, you have written
kiteb (stem), he wrote, he has written
kitbet (for kiteb + et), she wrote, she has written

Plural

ktibna (for kiteb + na), we wrote, we have written
ktibtu (for kiteb + tu), you wrote, you have written
kitbu (for kiteb + u), they wrote, they have written

In this lesson we are going to practise only the verb stem (3rd pers. sing. masc.) of a few verbs, like:-
ħareġ, to go out; *libes*, to dress; *xorob*, to drink, etc.

It is suggested that you learn the verb stem as it appears in the word-list.

WORD-LIST

ára, look.
xiħ (m.), xjuħ, old man, old men
ħáreġ, to go out
bárra, out, outside
ára dak ix-xiħ kif ħáreġ bárra, look at that old man, going out like that! (lit. as he went out!)
líbes, to dress, to wear, to put on
hemm x'líbes? (look at) what he's wearing!
żarbún (m.s.), a pair of shoes; żarbúna (f.), żráben shoe/s
żarbún áħmar, a pair of red shoes
miskín/a, msíeken, poor thing
ħáseb, to think
li, that

23

il-Karnivál (m.), Carnival
xórob, to drink
xi ftit, a little
inbíd (m.) wine
żéjjed, too much
dak déjjem hekk, that's always the case (lit. he is always so)
kif déjjem hekk? what do you mean, it's always the case?
méla, well
il-bíeraħ ukóll xórob, yesterday he was drinking as well
kien fis-sákra, he was drunk
għalíex? why?
għax, because
imdéjjaq, imdéjqa, imdejqín, sad
tájjeb, well
méla, then, kuljúm, every day, (kull, every), (jum, day)
rágel íeħor, another man
ħábat míegħu, bumped into him
fit-triq, in the street
min kien? who was that?
íbnu l-kbir, his eldest son
bħálu, like him
tasséw? is that so?
méla, certainly
wáqa', to fall
it-tráffiku kóllu wáqaf, all the traffic stopped
ma kienx hemm pulizíja? wasn't there a policeman there?
allúra? well then?
bágħat, to send; bagħat għal, to send for
malájr, quickly
séwwa għámel, he did the right thing
taf fejn kíenet? do you know where she was?
il-knísja? at the church? knísja (f.), knéjjes, church/es
għand tal-ħanút ta' l-inbíd, at the wine shop
ħanút (m.), ħwíenet, shop/s
miskína, kienet imdéjqa hi wkóll, poor thing, she was sad as well

TAĦRIĠ (Exercises)

(1.) Wieġeb dawn il-mistoqsijiet. (Answer the following questions)
1. X'libes dak ix-xiħ? 2. Għaliex kien fis-sakra? 3. Għaliex xorob
ħafna nbid? 4. Kuljum fis-sakra? 5. Min ħabat miegħu fit-triq? 6.
Ibnu l-kbir kien fis-sakra wkoll? 7. Għaliex xorob ibnu l-kbir? 8.

24

Fejn waqa' x-xiħ? 9. Kien hemm pulizija meta (when) waqaf it-traffiku? 10. Għal min bagħat il-pulizija? 11. Fejn kienet il-mara tax-xiħ? 12. Kienet imdejqa jew ferħana?

(2.) **Imla l-vojt bil-verbi li ġejjin.** (Fill in the blanks with the following verbs)

bagħat, kienet, waqaf, xorob, għamel, ħareġ, waqa', ħaseb, ħabat, libes.

1. Ix-xiħ ...... barra; 2. Il-mara ...... għand tal-ħanut ta' l-inbid; 3. Il-pulizija ...... għal martu; 4. Ibnu l-kbir ...... miegħu; 5. Ix-xiħ ...... żarbun aħmar; 6. Il-pulizija ...... sewwa; 7. Ix-xiħ ...... li kien il-Karnival; 8. Ix-xiħ ...... ħafna nbid; 9. It-traffiku kollu ...... 10. Ix-xiħ ...... fit-triq.

(3) **Aqleb għall-Malti** (Translate into Maltese)

The old man put on his red shoes. Poor thing, he thought today was Carnival.

"But today is not Carnival!"

"No, but he is drunk."

"Why did he drink so much wine?"

"Because he was sad."

"And why was he drinking yesterday as well?"

"Because he was happy."

"And why was his eldest son drinking today?"

"Because he was sad, that his father was drunk."

"And so they were both happy together!"

"The old man fell in the street and all the traffic stopped. The policeman sent for his wife."

"He did the right thing."

"Do you know where she was?"

"At home?"

"No!"

"Where, then?"

"At the wine shop. She was sad as well."

IL-ĦAMES LEZZJONI

(The Fifth Lesson)

ALLA ĦALAQ KOLLOX

Il-bieraħ l-għalliem wasal tard l-iskola.
Għalhekk it-tfal kienu ferħanin. Għalqu l-bieb u għamlu ħafna storbju.
Joe, tifel imqareb, m'għandux kwiet. X'għamel?
Qabeż mit-tieqa, daħal fil-ġnien u qata' tuffieħa.
Kif daħal fil-klassi, wasal l-għalliem.
"Fejn kont, Joe? Kif ħriġt mill-klassi?" qal l-għalliem.
"Mit-tieqa, Sir. Qbiżt mit-tieqa, ħriġt fil-ġnien u dħalt mill-bieb," qal Joe.
"Hemm x'għandek f'idek?"
"Xejn, Sir."
L-għalliem ħares lejh, qagħad bil-qiegħda u fetaħ il-ktieb.
Aħna wkoll ftaħna l-kotba.
Il-lezzjoni kienet fuq in-natura.
"Min ħalaq in-natura, John?" qal l-għalliem.
"Alla ħalaq in-natura, Sir," qal John.
"Alla ħalaq kollox, Pierre?"
"Iva, Alla ħalaq kollox. Ħalaq ix-xemx, il-qamar, il-kwiekeb, id-dinja u l-annimali."
"Bravu! X'aktar ħalaq Alla, Marija?"
"Is-siġar ... u fl-aħħar il-bniedem."
"Min kienu l-ewwel bnedmin, Lisa?"
"L-ewwel bnedmin kienu Adam u Eva."
"Fejn kienu Adam u Eva, George?"
"Fil-ġenna ta' l-art, fil-ġnien ta' l-Eden."
"Kienu kuntenti fil-ġenna ta' l-art?"
"Iva, imma fl-aħħar kisru l-kmand t'Alla."
"Għaliex?"
"Għax kielu t-tuffieħa."
"Min qata' t-tuffieħa, Joe? Adam jew Eva?" qal l-għalliem.
Imma Joe ma kienx moħħu hemm. Kien rasu taħt il-bank jiekol it-tuffieħa li kien qata' mill-ġnien ta' l-iskola.
"Joe, min qata' t-tuffieħa?"
"Mhux jien, Sir," qal Joe.
Ħa, ħa, ħa. Kulħadd daħak.

GRAMMAR

1. In the previous lesson we practised only the verb stem (the 3rd. pers. sing. masc. of the past tense) of some verbs. In this lesson we are going to see as much of this past tense as possible, e.g. *għalqu*, they shut; *għamel*, he did; *ħriġt*, I (or you) went out; *ftaħna*, we opened, etc.

All regular verbs belonging to this *first form* CvCvC (kiteb), with few exceptions, have the same conjugation as *kiteb* (see lesson four), thus:-

dħalt	I entered;	ftaħt	I opened;	ħriġt	I went out
dħalt	you entered;	ftaħt	you opened;	ħriġt	you went out
daħal	he entered;	*fetaħ*	he opened;	*ħareġ*	he went out
daħlet	she entered;	fetħet	she opened	ħarġet	she went out
dħalna	we entered;	ftaħna	we opened;	ħriġna	we went out
dħaltu	you entered;	ftaħtu	you opened;	ħriġtu	you went out
daħlu	they entered;	fetħu	they opened;	ħarġu	they went out

Note 1. The verb *xorob* = to drink, and others with similar vowels (o - ·o), make *xorbot* (and not xorbet) = *she drank.*

Note 2. Verbs beginning with 'għ", like *għamel* (to do, make) and *għalaq* (to shut, close) keep the 1st vowel of the stem in the 1st and 2nd pers. sing. and pl. of the past tense, thus:-

għamilt	I did	għalaqt	I shut
għamilt	you did	għalaqt	you shut
għamel	he did	għalaq	he shut
għamlet	she did	għalqet	she shut
għamilna	we did	għalaqna	we shut
għamiltu	you did	għalaqtu	you shut
għamlu	they did	għalqu	they shut

2. **The Verb QAL (to say)**

The verb *qal* (to say) is irregular, because it is made up of *two* verb stems (*qal* and *għad*), both of them meaning 'to say', e.g.

għedt	I said	għedna	we said
għedt	you said	għedtu	you said
qal	he said	qalu	they said
qalet	she said		

Note:- As well as meaning *to say*, the verb *qal* may be used instead of *staqsa* (to ask) and *wieġeb* (to answer), thus:
"Kif ħriġt mill-klassi?" *qal* or *staqsa* l-għalliem.

"Mit-tieqa, Sir," *qal* or *wieġeb* Joe.

3. **The verb qagħad bil-qiegħda** (to sit down)

qgħadt bil-qiegħda	I sat down
qgħadt bil-qiegħda	you sat down
qagħad bil-qiegħda	he sat down
qagħdet bil-qiegħda	she sat down
qgħadna bil-qiegħda	we sat down
qgħadtu bil-qiegħda	you sat down
qagħdu bil-qiegħda	they sat down

4. **The Pluperfect Tense**

The pluperfect tense is formed by the past tense of the verb *kien* and the past tense of another verb, e.g.

kont ktibt	I had written	konna ktibna	we had written
kont ktibt	you had written	kontu ktibtu	you had written
kien kiteb	he had written	kienu kitbu	they had written
kienet kitbet	she had written		

5. **Collective Nouns**

There are naturally collective nouns in English, such as: crowd, congregation, audience and group. In Maltese, however, collective nouns are much more numerous and commonly used. These are treated as singular masculine nouns, e.g. *tuffieħ*, apples; *bajd*, eggs; *ħobż*, bread, and *ħut*, fish. To indicate a single object or animal, the feminine vowel *a* is added to the collective noun, thus:

tuffieħa, an apple; *bajda*, an egg; *ħobża*, a loaf; *ħuta*, a fish. These nouns then become feminine.

The plural of the singular feminine nouns ends in *at* or *iet*, thus: *tuffiħât* or *tuffiħiet*, apples; *bajdiet*, eggs; *ħobżiet*, loaves; *ħutiet*, fish(es).

examples:-

Għandek *tuffieħ*? Have you got apples?

Għandi *tuffieħ sabiħ*. (note singular adjective) I've got nice apples.

Għandi *tuffieħa waħda*. I've got one apple.

Għandi *ħames tuffiħât* or *tuffiħiet*. I've got five apples.

WORD-LIST

wásal, to arrive
tard, late
l-iskóla, to school; skóla (f.), skejjel, school/s
għalhékk, therefore

għálaq, to shut, close
għámel, to do, make
ħáfna stórbju (m.), a lot of noise
tífel imqáreb, a naughty boy
m'għandúx kwiet, he's never quiet
x'għámel?, (do you know) what he did?
qábeż, to jump
mit-tíeqa, out of the window
dáħal fil-ġnien, went into the garden
u qáta' tuffieħa, and picked an apple
kif dáħal fil-klássi, as he was coming back into the class-room
fejn kont? where have you been?
kif ħriġt? how did you get out?
mit-tíeqa, through the window
hemm x'għándek? what have you got there?
xejn, nothing
l-għallíem ħáres lejh, the teacher looked at him.
qágħad bil-qíegħda, he sat down (qiegħda is pronounced qêda)
fétaħ il-ktieb, he opened his book (lit. the book)
áħna wkóll ftáħna l-kotba, we opened our (the) books as well.
min ħálaq in-natúra? who created nature?
Álla, God
kéwkba, kwíekeb, star/s
dínja, dinjíet, world/s
annimál/i, animal/s
x'áktar?, what else?
síġar (trees), síġra, siġríet, tree/s; siġríet is used with numbers
     (2 – 10)
fl-áħħar, last of all
bníedem, bnedmín, man, men, human beings
l-éwwel bnedmín, the first people
fil-ġénna ta' l-art, in the earthly paradise
fil-ġnien ta' l-Éden, in the garden of Eden
kíser, to break; kísru, they broke
il-kmand t'Álla, God's command
kiel, to eat, kíelu, they ate (irreg. verb)
ma kienx móħħu hemm, he didn't have his mind on the problem.
kien rásu taħt il-bank jíekol it-tuffíeħa, he had his head under the bench,
     eating the apple
ras (f.), irjús, head/s
bank (m.), bankijíet (m.), bench/es

29

jíekol, he eats (here, eating), from kiel
li kien qáta', that he had picked
mhux jien, not me
kulħádd dáħak, everybody laughed.

TAĦRIĠ (Exercises)

(1.) **Wieġeb dawn il-mistoqsijiet** (Answer the following questions)
1. Għaliex kienu ferħanin it-tfal il-bieraħ? 2. X'għamel Joe? 3. Meta
wasal l-għalliem? 4. X'qallu l-għalliem lil Joe? 5. X'qal Joe? 6.
X'għamlu l-għalliem u t-tfal? 7. Fuqiex (on what) kienet il-lezzjoni?
8. X'ħalaq Alla? 9. Min kienu l-ewwel bnedmin? 10. X'għamlu
Adam u Eva? 11. Kienu kuntenti fil-ġenna ta' l-art? 12. Kif kisru l-
kmand t'Alla? 13. Joe qata' t-tuffieħa mill-ġnien ta' l-Eden? 14.
X'għamel kulħadd?

(2.) **Ikkonjuga t-Temp Passat ta':** (Conjugate the Past Tense of) daħal;
ħareġ, fctaħ, kiser.

(3.) **Agħti l-forma t-tajba tal-verb.** (Give the correct form of the verb)
1. Marija ...... (wasal) tard l-iskola. 2. It-tifla ...... (kien) ferħana.
3. Joe u John ... (għamel) ħafna storbju. 4. Huma ...... (ħareġ) mill-
klassi. 5. Intom ...... (fetaħ) il-kotba. 6. Lisa ...... (qagħad bil-
qiegħda) fuq il-bank. 7. Jiena ...... (qabeż) mit-tieqa. 8. Inti ......
(daħal) mill-bieb. 9. Aħna ...... (fetaħ) il-bieb. 10. Marija ......
(ħares) lejh. 11. Intom ...... (għamel) il-kotba taħt (under) il-mejda.
12. Alla ...... (ħalaq) kollox. 13. Jiena ...... (ħareġ) mill-kamra. 14.
Adam ...... (kiser) u Eva ...... (kiser) il-kmand t'Alla.

(4) **Aqleb għall-Malti** (Translate into Maltese)
Yesterday I arrived late at school. The teacher wasn't in the class-
room. Therefore, the children were happy. Mary is a naughty girl.
She jumped out of the window, went into the garden and picked an
apple. As she was coming back into the classroom, the teacher
opened the door. "What have you got in your hand?" asked the
teacher. "Nothing, Sir," answered Mary. The children sat down and
opened their books. The lesson was on nature. "Who created
nature?" asked the teacher. "God created everything, Sir," answered
John. "Who were the first people?" Adam and Eve." "Were they
happy in the garden of Eden?" "Yes, Sir". "What did they do? "They
broke God's command; they picked an apple."

30

IS-SITT LEZZJONI

(The Sixth Lesson)

FL-ARKA TA' NOE

Wieħed raġel u waħda mara daħlu għand wieħed bidwi.

"Xi ħlew! Kemm għandek annimali!" qalet il-mara.

"Iva, għandi ħafna," qal il-bidwi.

"Kemm-il baqra għandek?"

"Ħamsa. Għandi ħames baqriet; tlieta suwed u tnejn bojod."

"Dak iż-żiemel sabiħ ħafna," qal ir-raġel.

"Iva, sabiħ. Żwiemel għandi tnejn hawn. Għandi wkoll tliet żwiemel oħra fl-għalqa."

"Ara kemm huma ħelwin dawk il-ħnieżer żgħar!" qalet il-mara.

"Dawk, Sinjura, għandhom xahar biss."

"Xi kemm huma l-wieħed?"

"Dawk, Sinjura, għaxar liri l-wieħed."

"Mhux għaljin, hux, Ton! qalet il-mara, u ħarset lejn ir-raġel tagħha. Imma r-raġel kien moħħu fit-tiġieġ.

"Ara, Marija, dawn it-tiġieġ kemm huma ħelwin!"

"Tiġieġ, Sinjur?" Tiġieġ għandi ħafna. F'din il-bitħa biss hawn xi tmintax-il tiġieġa, f'dik il-kamra hemm sittax-il tiġieġa oħra u fl-għalqa hemm ħafna aktar.

"Mela għandek ħafna bajd! qal ir-raġel.

"Iva, bajd u flieles u papri! Hawn bħall-Arka ta' Noe. Għandna l-annimali kollha.... Ħmir biss m'għandniex!"

Ha, ħa, ħa....

Dak il-ħin daħal it-tifel iż-żgħir mill-iskola.

"Pa, sitta u sebgħa kemm huma?"

"Tlettax."

"Tlettax! Mhux tnax?"

"Le, tlettax."

"Mela sewwa qal l-għalliem. U taf x'qal ukoll l-għalliem?"

"X'qal, ibni?"

"Qal li jiena ħmar!"

"Iva! Mela issa għandna l-annimali kollha fl-Arka ta' Noe."

Ha, ħa, ħa....

31

GRAMMAR

1. **Cardinal Numbers**

   (a) *Wieħed* u *Waħda* (See lesson two, grammar note 1.)

   examples:-
   wieħed raġel, a (*certain*) man, (wieħed placed before noun)
   waħda mara, a (*certain*) woman, (waħda placed before noun)
   raġel *wieħed*, *one* man, (wieħed placed after noun)
   mara *waħda*, *one* woman, (waħda placed after noun)

   (b) (*2 - 10*) These numbers are followed by a *plural noun.*

used without a noun		used with nouns of more than one syllable	used with nouns of one syllable
tnejn	2	żewġ	żewġt
tlieta	3	tliet	tlett
erbgħa	4	erba'	erbat
ħamsa	5	ħames	ħamest
sitta	6	sitt	sitt
sebgħa	7	seba'	sebat
tmienja	8	tmien	tmint
disgħa	9	disa'	disat
għaxra	10	għaxar	għaxart

   examples:-
   Kemm-il baqra għandek? How many cows have you?
   għandi *tlieta*. I've got three. (used without a noun)
   għandi *tliet baqriet*. I've got three cows. (with polysyllabic nouns)
   għandi *tlett idjar*. I've got three houses. (with monosyllabic nouns)
   e.g. dar, *djar*. The *i* is added to 'djar' to help pronunciation.

   (c) (*11 - 19*) These numbers are followed by a *singular noun.*

used without a noun		used with a sing. noun
ħdax	11	ħdax-il
tnax	12	tnax-il
tlettax	13	tlettax-il
erbatax	14	erbatax-il
ħmistax	15	ħmistax-il
sittax	16	sittax-il
sbatax	17	sbatax-il

32

tmintax	18	tmintax-il
dsatax	19	dsatax-il

examples:-

Kemm-il tiġieġa għandek? How many chickens have you?

għandi *sittax*. I've got sixteen (without a noun).

għandi *sittax-il tiġieġa*. I've got sixteen chickens (used with a singular noun).

(d) (*20 - 101*) These numbers are followed by *a sing. noun.*

għoxrin	20
wieħed u għoxrin	21
tnejn u għoxrin	22
tlieta u għoxrin	23
tletin	30
erbgħin	40
ħamsin	50
sittin	60
sebgħin	70
tmenin	80
disgħin	90

mija (used alone)	100	mitt (used with a sing. noun)
mija u wieħed (m.)	101	mija u waħda (f.)

examples:-

Kemm-il siġġu għandek? How many chairs have you got?

għandi għoxrin siġġu. I've got twenty chairs.

għandi għoxrin. I've got twenty.

għandi wieħed u tletin siġġu. I've got thirty-one chairs.

għandi disgħa u disgħin siġġu. I've got ninety-nine chairs.

għandi mija. I've got one hundred.

għandi *mitt* siġġu u wieħed. I've got one hundred and one chairs.

(e) (*102 - 110*) Followed by a *plural noun* as in (b)

examples:-

għandi mija u tnejn. I've got one hundred and two.

għandi mija u żewġ kotba. I've got 102 books.

għandi mija u tlett iħmir. I've got 103 donkeys. (ħmar, ħmir)

(f) (*111 - 119*) Followed by *a singular noun* as in (c)

examples:-

għandi mija u erbatax. I've got 114.

għandi mija u erbatax-il ktieb. I've got 114 books.

and so on.

2. **Age**

   Kemm-il sena għandek? (or) Kemm għandek snin? How old are you?
   Għandi ħames snin. I am five years old.
   Għandi ħdax-il sena. I am eleven years old.
   Għandi mitt sena. I am one hundred (years of age).
   Hu akbar minni. He is older than I. (for the comparative see Lesson 14)
   Hu iżgħar minni. He is younger than I.
   Hu akbar minni sentejn. He is two years older than I.
   Mhux kbir daqsi. He is not so old as I.
   Hu kbir daqsi. He is as old as I.
   Fl-età tiegħu. At his age.

3. **Time of Day**

   X'ħin hu issa? What is the time now?
   Issa t-tmienja. It's now eight o'clock.
   Id-disgħa u għaxra. It's ten past nine.
   L-għaxra u kwart. It's quarter past ten.
   Is-sebgħa u għoxrin. It's twenty past seven.
   Il-ħamsa u nofs ta' filgħodu. It's half past five a.m.
   It-tlieta neqsin/nieqes kwart ta' wara nofs in-nhar. It's quarter to three p.m.
   Fi x'ħin jiftaħ il-ħanut? At what time does the shop open?
   Fid-disgħa. At nine o'clock.
   F'nofs in-nhar. At miday (noon).
   F'nofs il-lejl. At midnight.
   Fis-siegħa. At one o'clock.
   L-arloġġ 'il quddiem. The clock/watch is fast.
   L-arloġġ lura. The clock/watch is slow.
   L-arloġġ tajjeb. The clock/watch is right.

4. **Dates, Days, etc.**

   sekonda, second; *minuta*, minute; *siegħa*, hour, *jum/ġurnata*, day; *ġimgħa*, week; *xahar, xhur*, month/s; *sena, snin*, year/s; *Il-Ħadd*, Sunday; *It-Tnejn*, Monday; *It-Tlieta*, Tuesday; *L-Erbgħa*, Wednesday; *Il-Ħamis*, Thursday; *Il-Ġimgħa*, Friday; *Is-Sibt*, Saturday.
   Jannar, January; *Frar*, February; *Marzu*, March; *April*, April; *Mejju*, May; *Ġunju*, June; *Lulju*, July; *Awwissu*, August; *Settembru*, September; *Ottubru*, October; *Novembru*, November; *Diċembru*, December.
   X'data għandna llum? What's the date today?
   Illum l-ewwel ta' Frar. Today is the 1st February.
   Fit-tlieta ta' Settembru. On the third of September.

34

Il-Ħamis, l-għoxrin ta' Mejju. On Thursday, 20th May.
Il-Ħadd filgħodu. On Sunday morning.

5. **Measurements**
Il-mejda hi twila żewġ metri. The table is two metres long.
Il-kamra hi wiesgħa sitt metri. The room is 6 metres wide.
Il-ħajt hu għoli tliet metri. The wall is three metres high.
Tliet pari ngwanti. Three pairs of gloves.
Tazza ilma. A glass of water.
Kikkra te. A cup of tea.
Flixkun birra. A bottle of beer.
Kaxxa ċikkulata. A box of chocolates.
Għoxrin lira. Twenty pounds (Maltese)

WORD-LIST

bídwi/ja, bdíewa, farmer/s
xi ħlew! How sweet!
kemm għándek annimáli! (look) how many animals you've got!
kémm-il báqra għándek? how many cows have you got? (note that
     kemm-il is followed by a sing. noun.)
għálqa, għelíeqi, field/s
ara kemm huma ħelwín dawk il-ħníeżer iż-żgħar, look how sweet those
     piglets are!
ħanżír/a, ħníeżer, pig/s; ħanżir żgħir, piglet.
dawk għándhom xahar biss, those are only one month old.
kemm huma l-wíeħed? how much for one? (each)
għáxar líri l-wieħed, ten pounds each.
mhux għaljín, hux? they're not expensive, are they?
imma r-ráġel kien móħħu fit-tiġíeġ, but the man had his mind on the
     chickens.
tiġíeġ/a, tiġiġíet, chicken/s
bítħa, btíeħi, yard/s; f'din il-bitħa biss, in this yard alone.
bajd (coll. noun), bájda, bajdíet, egg/s
fellús (m.), flíeles, chick/s
pápra, pápri, duck/s
bħall-Árka ta' Noe, like Noah's Ark
ħmar/a, ħmir, donkey/s
dak il-ħin, at that time
it-tífel iż-żgħir, his youngest son
pa, sítta u sébgħa kemm huma? dad, what's six plus seven?
méla séwwa qal l-għallíem, well, the teacher was right.
u taf x'qal wkóll l-għallíem? and do you know what else he said?

35

íbni, my son

qal li jien ħmar, he said I was a donkey.

íva! really!

TAHRIĠ (Exercises)

(1.) **Wieġeb dawn il-mistoqsijiet:** (Answer the following questions)
1. Fejn daħlu r-raġel u l-mara? 2. X'għandu l-bidwi? 3. Kemm-il baqra għandu? 4. Kemm għandu żwiemel? 5. Kemm-il sena għandek? 6. Kemm huma l-wieħed il-ħnieżer iż-żgħar? 7. Il-ħnieżer għaljin? 8. Fejn kien moħħu r-raġel? 9. Kemm hemm tiġieġ fil-bitħa tal-bidwi? 10. U fl-għalqa kemm hemm? 11. X'annimali m'hemmx fl-Arka ta' Noe? 12. Dak il-ħin min daħal mill-iskola? 13 X'qal il-bidwi?

(2.) **Imla l-vojt bin-numri:** (Fill in the blanks with the numbers)
3 ...... baqriet; 6 ...... kotba; 7 ...... siġġijiet; 2 ...... tuffiħiet; 3 ...... idjar; 10 ...... kmamar; 11 ...... tifel; 16 ...... mara; 23 ...... lapes (pencil); 35 ...... tifla; 99. .,.... ktieb; 100 ...... baqra; 101 ...... baqra; għandi 5 ......; għandu 8 ......; għandha 10 ......; għandna 16 ......

(3.) **Agħti tweġiba:** (Answer the following questions)
1. Sebgħa u disgħa kemm huma?
2. Għaxra u tletin kemm huma?
3. Mija u tlieta u erbgħin kemm huma?
4. Għaxra nieqes/neqsin sitta kemm huma? (nieqes/neqsin, minus)
5. Sittin nieqes/neqsin ħmistax kemm huma?

(4.) **Aqleb għall-Malti:** (Translate into Maltese)
A man and a woman went to a farm. "How many cows have you got?" asked the man. "Six. I've got six cows," answered the farmer. "And how many horses are there in the field?" "Three." "How much are the piglets?" "Ten pounds each." "Not too expensive," said the woman to her husband. But her husband had his mind on the chickens. "Marija, look how sweet these chickens are!" said the man. "How many chickens have you got in this yard?" asked the woman. "Eighteen. I've got eighteen chickens here," answered the farmer. "It's like Noah's ark here," said the man. "Yes, we've got all the animals ... except a donkey!" answered the farmer. At that moment, his young son came home from school. "Dad, the teacher called me (sejjaħli) a donkey!" said the boy. "Really! Well then, now we've got all the animals from Noah's Ark!" said the farmer.

IS-SEBA' LEZZJONI

(The Seventh Lesson)

L-INKWIET FID-DAR

Il-familja Gauci hi familja kbira: Ġanni, il-missier, Tereża, l-omm, u sebat itfal, tliet subien u erbat ibniet. Ġanni għandu erbgħin sena, Tereża għandha ħamsa u tletin, u Margerita, it-tifla l-kbira, għandha tmintax-il sena. Kull filgħodu Ġanni jmur għax-xogħol kmieni fis-sitta u nofs. Malli jmur, jibda l-inkwiet fid-dar.

"Din tiegħi."

"Le, dik mhix tiegħek; dik tiegħi."

"Ma, il-bieraħ kelli pupa hawn, fejn hi?"

"Ma, iż-żarbun tiegħi fejn hu?"

"Ma, il-kafè lest?"

"Pawlu, oqgħod kwiet."

Miskina Tereża! Kull filgħodu dejjem hekk.

"Din tiegħi; dik tagħha; kelli din hawn; kelli dik hemm."

Tereża mara bieżla ħafna.

"Aħsel wiċċek. Margerita, aħsillu wiċċu lil Pawlu. Aħsilhulu."

"Ħsilthulu, Ma."

"Issa, Pawlu, oqgħod hemm bil-qiegħda."

"Imsaħ wiċċek, Tonina. Margerita, imsaħhulha."

"Ilbsu ż-żraben, tfal. Ilbsuhom."

"Ilbisniehom, Ma."

"Tajjeb, issa, iftħu dik it-tieqa u agħlqu dak il-bieb."

"Iftaħha, Marisa; u inti, Joe, agħlqu dak il-bieb."

"Idħol ġewwa int." "Oħroġ mill-kamra tal-banju."

Fil-għaxija, waqt l-ikel, l-istess inkwiet.

"Dan il-laħam kiesaħ; dan il-laħam iebes; dan il-ħut bix-xewk; dan il-ħobż nej; l-ilma sħun; l-inbid mhux tajjeb ..."

Min jgħid ħaġa u min jgħid oħra.

Kulħadd għandu xi ħaġa xi jgħid.

Imma, Ġanni, il-missier, ma jgħid xejn.

Fl-aħħar: "Issa biżżejjed. Kulħadd fis-sodda. Il-lejl it-tajjeb."

It-tfal jgħidu t-talb ta' fil-għaxija u jmorru fis-sodda.

Imma mhux Ġemma, il-baby. Dik mal-papá u l-mamá quddiem it-televi-sion.

37

GRAMMAR

1. The Imperative

The Imperative has only two persons, the 2nd person singular and the 2nd person plural. In most cases the vowels in the Imperative form are different from those in the verb stem, e.g.

Verb Stem	Singular	Plural
kiteb (to write)	ikteb (write)	iktbu
ħasel (to wash)	aħsel (wash)	aħslu
għalaq (to shut)	agħlaq (shut)	agħlqu
But		
fetaħ (to open)	*i*ftaħ (open)	ifthu
raqad (to sleep)	*o*rq*o*d (sleep)	orqdu
daħal (to enter)	*i*dħol (enter)	idħlu

Note 1.

Verbs, which have as their middle consonant one of these consonants 'l, m, n, r, or għ', insert a vowel before these consonants in the Imperative plural form, e.g.

Verb Stem	Singular	Plural
ħareġ (to go out)	oħroġ (go out)	oħ*o*rġu
ki*n*es (to sweep)	iknes (sweep)	ik*i*nsu
bagħat (to send)	ibgħat (send)	ib*a*għtu

Note 2.

The *negative Imperative form* will be dealt with in the next lesson.

Note 3.

From now on, the Imperative singular form will be given in the word-list together with its verb stem. It is suggested that you learn it together with its stem and meaning.

The following list includes the Imperative of most of the verbs we have met so far:-

Verb Stem	Singular	Plural
kiteb (to write)	ikteb (write)	iktbu
ħareġ (to go out)	oħroġ (go out)	oħorġu
qagħad (to sit)	oqgħod (sit)	oq*o*għdu
ħasel (to wash)	aħsel (wash)	aħslu
libes (to dress)	ilbes (dress)	ilbsu
għalaq (to shut)	agħlaq (shut)	agħlqu
fetaħ (to open)	iftaħ (open)	ifthu
daħal (to enter)	idħol (enter)	idħlu

38

qabeż (to jump)	aqbeż (jump)	aqbżu
raqad (to sleep)	orqod (sleep)	orqdu
ħaseb (to think)	aħseb (think)	aħsbu
xorob (to drink)	ixrob (drink)	ixorbu
ħabat (to bump)	aħbat (bump)	aħbtu
bagħat (to send)	ibgħat (send)	ibagħtu
għamel (to do, make)	agħmel (do, make)	agħmlu
wasal (to arrive)	*asal* (arrive)	*aslu* (drops 1st C.)
ħalaq (to create)	oħloq (create)	oħolqu
qata' (to pick, cut)	aqta' (pick, cut)	aqtgħu
kiser (to break)	ikser (break)	iksru
daħak (to laugh)	idħak (laugh)	idħku
kien (to be)	*kun* (be)	*kunu*
		(W.V. Hollow)
qal (to say)	għid (say)	għidu (irregular)
mar (to go)	mur (go)	morru (irregular)
ġie (to come)	ejja (come)	ejjew (irregular)
ħa (to take)	ħu (take)	ħudu (irregular)
ra (to see)	ara (see, look)	araw (irregular)
kiel (to eat)	kul (eat)	kulu (irregular)
ta (to give)	agħti (give)	agħtu (irregular)

2. **The Attached Pronouns** (See Lesson 3) continued

In the third lesson we saw the personal pronominal suffixes attached to *Nouns* and *Prepositions*, such as: dar*i*, my house; omm*ok*, your mother; ħu*ha*, her brother, bħal*i*, like me; fi*na*, in us; tagħ*hom*, their/s; lil*u*, to him; għand*i*, I have (or) to/at my house.

In this lesson we are going to see these pronouns attached to *Verbs*, e.g.

ra, he saw	mess, he touched
ra*ni*, he saw me	mess*ni*, he touched me
ra*k*, he saw you	mess*ek*, he touched you
ra*h*, he saw him	mess*u*, he touched him
ra*ha*, he saw her	mess*ha*, he touched her
ra*na*, he saw us	mess*na*, he touched us
ra*kom*, he saw you	mess*kom*, he touched you
ra*hom*, he saw them	mess*hom*, he touched them

In addition to the attached pronouns given above and in Lesson Three, which usually express the *Direct Object* of a verb, such as, ra*ni*, he saw *me* (D.O.), there are other pronouns which show the *Indirect Object* of a verb, i.e. 'Who the action is done to or for', e.g.

kitib*li*, he wrote *to/for me*. These are:-

- li = to/for me
- lek or lok = to/for you
- lu = to/for him
- ilha = to/for her

- ilna = to/for us
- ilkom = to/for you
- ilhom = to/for them

examples:-

kitib*li*, he wrote to me
kitib*lek*, he wrote to you
kitib*lu*, he wrote to him
kitb*ilha*, he wrote to her

kitb*ilna*, he wrote to us
kitb*ilkom*, he wrote to you
kitb*ilhom*, he wrote to them

fetaħ*li*, he opened for me
fetaħ*lek*, he opened for you
fetaħ*lu*, he opened for him
fetħ*ilha*, he opened for her

fetħ*ilna*, he opened for us
fetħ*ilkom*, he opened for you
fetħ*ilhom*, he opened for them

Note 1.

With some verbs, the Direct Pronouns (see Section 2 of this lesson) are used to express the Indirect Object, e.g.

ta, he gave

ta*ni*, he gave (to) me (not tali)
ta*k*, he gave you
ta*h*, he gave him
ta*ha*, he gave her

ta*na*, he gave (to) us
ta*kom*, he gave you
ta*hom*, he gave them

Note 2.

The consonant *l* of the Indirect Object Pronouns is the shortened form of the preposition '*lil*', 'to' or 'for', e.g. *lili*, to/for me; lil*ek*, to/for you; lil*u*, to/for him; lil*ha*, to/for her; lil*na*, to/for us; lil*kom*, to/for you; lil*hom*, to/for them.

examples:-

Lili tani ktieb, *lilek* x'ta*k*? He gave *me* a book, what did he give *you*? Notice, in the above examples, the double Object; something which is very common in Maltese.

3. **The Direct & Indirect Pronouns Together**

Sometimes the Direct and Indirect Object Pronouns are joined together and added to the verb to form one whole word, e.g.
kitibhieli (kiteb + hie + li) = he wrote it (f.) to/for me.
In such cases, the Direct Object Pronouns, *hu*, *ha* (*hie*) and *hom*,

precede the Indirect Object Pronouns, *li, lek, lu,* etc. in the following way:-

Verb	Direct Object	Indirect Object
kiteb (he wrote)	hu it (m.)	li to me
	hie (ha) it (f.)	lek to you
	hom them	lu to him
		lha to her
		lna to us
		lkom to you
		lhom to them

examples:-

ta l-ktieb lilek, he gave you the book. *tahulek,* he gave it to you.
agħti l-ittri lilna, give us the letters. *agħtihomlna,* give them to us.
ħasilli wiċċi, he washed my face. *ħasilhuli,* he washed it for me.
aħsillu wiċċu, wash his face. *aħsilhulu,* wash it for him.

4. **The Past Tense of 'To Have'**

kelli	I had	kellna	we had
kellek	you had	kellkom	you had
kellu	he had	kellhom	they had
kellha	she had		

WORD-LIST

família (f.), **famílji,** family
jmúr, he goes (out)
għax-xogħol (m.), to work; **xogħlijíet,** works
kmíeni, early
málli, as soon as
jibda, present tense of '**béda**', to begin
jíbda l-inkwíet, trouble begins
kélli, I had; **tíegħi,** etc. see lesson 3.
púpa, púpi, doll/s (f.)
fejn hi? where is it?
kafé, coffee
lest/a/i, ready
óqgħod kwiet, keep quiet
déjjem hekk, it's always the same; it's always like that.
bíeżel, bíeżla, beżlín, diligent, active, industrious, dedicated
miskína Teréża, poor Tereża
áħsel wiċċek, wash your face
aħsíllu wíċċu, wash his face (for him); **aħsilhúlu,** wash it for him.

41

ħsilthúlu, I've already washed it for him.
óqgħod hemm bil-qíegħda, sit down there.
ímsaħ wíċċek, wipe your face; mésaħ, to wipe
imsaħhúlha, wipe it for her.
ílbsu ż-żrában, put on your shoes; ilbsúhom, put them on
ilbisníehom, we've already put them on.
iftáħha, open it (f.) (it-tíeqa)
ágħlqu l-bieb, shut the door
idħol ġéwwa, come inside
oħórġu mill-kámra tal-bánju, come (pl.) out of the bathroom.
waqt l-íkel, during the meal; fil-għaxija, in the evening.
l-istéss inkwíet, there is the same trouble (commotion)
kíesaħ, kíesħa, kesħín, cold
íebes, íebsa, ibsín, tough, hard
dan il-ħut bix-xewk, this fish is bony
nej, néjja, nejjín, under-baked, not cooked
sħun/a, sħan, warm
l-inbíd mhux tájjeb, the wine isn't nice, is no good
min jgħid ħáġa, u min jgħid óħra, some say one thing and some say
    another
kulħádd għándu xi ħáġa xi jgħíd, everyone has something to say
ma jgħíd xejn, he says nothing
íssa biżżéjjed, now, that's enough
kulħádd fis-sódda, everyone to bed; il-léjl it-tájjeb, good night.
ímma mhux Ġemma, but not Ġemma
dik mal-papá u l-mamá, she is with her father and mother
quddíem it-television, in front of the television.

TAĦRIĠ (Exercises)

(1.) **Wieġeb dawn il-mistoqsijiet** (Answer these questions)
1. X'jismu l-missier tal-familja? 2. Kemm-il sena għandu? 3. X'jisimha l-omm? 4. Kemm-il sena għandha? 5. Kemm għandhom tfal? 6. Kemm-il sena għandha Margerita? 7. X'ħin imur Ġanni għax-xogħol? 8. Meta jibda l-inkwiet fid-dar? 9. X'tgħid lit-tfal l-omm? (What does the mother tell the children?) 10. X'jgħidu t-tfal fil-għaxija? 11. X'jgħid fl-aħħar il-missier? 12. Fejn hi l-baby?

(2.) **Imla l-vojt** (Fill in the blanks)
(a) e.g. Ħaslithulek wiċċek?   Iva .... (ħaslithuli)
    1. Libsithulek iż-żarbun?   Iva ....
    2. Għamlitlek xagħrek?   Iva .... (xagħar, hair)
    3. Taħomlok il-kotba?   Iva ....

42

4. Fetaħhielha l-ittra? Iva ....
5. Taħulkom il-homework (m.)? Iva ....

(b) e.g. Agħtini l-kotba. .... (agħtihomli)
1. Aħsilli l-libsa. ....
2. Iktbulna l-ittri. ....
3. Ifthulhom il-bieb. ....
4. Agħlqulu t-tieqa. ....
5. Agħmluli l-ktieb hawn. .... hawn.

3. **Aqleb għall-Malti** (Translate into Maltese)
The Gauci's are a big family. The father's name (jismu) is Ġanni and the mother's name (jisimha) is Tereża. They have seven children, three boys and four girls. Ġanni is 40 years old and his wife is 35. Every morning Ġanni goes out early to work. As soon as he goes out, trouble begins. "That's mine." "No, it's not yours, it's mine." "Where is my doll?" "Where are my shoes?" "Paul, keep quiet." Poor mother! Every morning it is always the same.
"Wash your face." "I've washed it." "Put on your shoes." "I've put them on." "Open the window." "Shut the door." In the evening there is the same trouble. "The meat is tough." "The fish is full of bones." "The wine isn't nice." But the father doesn't say anything. At last: "Now, that's enough." The children say their evening prayers and everyone sleeps.

IT-TMIEN LEZZJONI
(The Eighth Lesson)

UFFIĊĊJU TAT-TURIŻMU

Drin ... drin ... drin ...

"X'ħin hu?" qalet Helen.

"It-tmienja!" u qabżet mis-sodda.

Marret fil-kamra tal-banju, ħaslet wiċċha, libset malajr u ħarġet biex tmur taħdem l-uffiċċju l-Belt.

Helen hi segretarja. L-uffiċċju jiftaħ fit-tmienja u nofs. Għalhekk beżgħet li ma tkunx fil-ħin.

Kienet toqgħod il-Gżira. Fetħet il-bieba tal-karozza tagħha, daħlet ġewwa u marret il-Belt. Kien hemm ħafna traffiku u waslet xi ftit tard l-uffiċċju, imma ħadd ma qal xejn.

Fl-uffiċċju kuljum jidħlu ħafna nies għal xi informazzjoni fuq it-turiżmu f'Malta u Għawdex.

"Bonġornu," qalet waħda turista.

"Bonġornu, Sinjura, x'għandek bżonn?"

"Jiena turista u nixtieq immur Għawdex; kif nagħmel?"

"Ara, Sinjura, fid-disgħa titlaq il-karozza tal-linja għaċ-Ċirkewwa mill-Belt. Tasal iċ-Ċirkewwa xi siegħa wara. Malli tasal il-karozza, il-vapur jitlaq miċ-Ċirkewwa għal Għawdex."

"Imma issa tard wisq; id-disgħa nieqes ħamsa. Ikolli nikri taxi."

"Ftit għalja t-taxi, imma aħjar tagħmel hekk."

"Hemm lukandi, Għawdex?"

"Int fejn tixtieq tmur?"

"Marsalforn."

"Iva, Marsalforn, hemm lukanda sabiħa."

"Jiena nixtieq noqgħod fuq ir-ramel għax-xemx."

"Sinjura, Marsalforn hemm ramel isfar, baħar blu u xemx taħraq."

"Nies hemm ukoll?"

"Nies? Ħafna!"

"Grazzi ħafna, imma aħjar immur Kemmuna."

"Kemmuna, gremxul hemm, mhux nies!"

"Aħjar, għall-kwiet. Kif tmur Kemmuna miċ-Ċirkewwa?"

"Bid-dgħajsa. Ikollok tikri dgħajsa."

"Ikolli nikri taxi; ikolli nikri dgħajsa! Le, għali wisq. Aħjar immur tas-Sliema bil-karozza tal-linja. 9 ċenteżmi biss."

GRAMMAR

1. The Present Tense

(a) The Present Tense is formed by prefixing to the Imperative the following consonants:-

Singular		Plural
1st Person	n + ikteb	n + iktbu
2nd Person	t + ikteb	t + iktbu
3rs Per. m.	j + ikteb	j + iktbu
3rd Per. f.	t + ikteb	

nikteb, I write	niktbu, we write
tikteb, you write	tiktbu, you write
jikteb, he writes	jiktbu, they write
tikteb, she writes	

noħroġ, I go out	noħorġu, we go out
toħroġ, you go out	toħorġu, you go out
joħroġ, he goes out	joħorġu, they go out
toħroġ, she goes out	

noqgħod bil-qiegħda, I sit down	noqogħdu bil-qiegħda, we sit down
toqgħod bil-qiegħda, you sit down	toqogħdu bil-qiegħda, you sit down
joqgħod bil-qiegħda, he sits down	joqogħdu bil-qiegħda, they sit down
toqgħod bil-qiegħda, she sits down	

Note:

The above expression *qagħad bil-qiegħda*, means 'to sit down', thus:-
qgħadna bil-qiegħda, we sat down
qagħdet bil-qiegħda, she sat down
oqgħod bil-qiegħda, sit down (s.)
oqogħdu bil-qiegħda, sit down (pl.)

(b) **The Negative Present Tense**

Singular	Plural
ma niktibx, I don't write	ma niktbux, we don't write
ma tiktibx, you don't write	ma tiktbux, you don't write
ma jiktibx, he doesn't write	ma jiktbux, they don't write
ma tiktibx, she doesn't write	

(c) **The Negative Imperative**

tiktibx, don't write (sing.)   tiktbux, don't write (pl.)

toħroġx, don't go out   toħorġux, don't go out

tisraqx, don't steal (seraq)   tisirqux, don't steal

toqgħodx bil-qiegħda, don't sit   toqogħdux bil-qiegħda, don't sit

2. **The Irregular Verb MAR, To Go**

The Past Tense

mort, I went   morna, we went

mort, you went   mortu, you went

mar, he went   marru, they went

marret, she went

The Imperative

mur, go   morru, go

The Present Tense

(i)mmur, I go   (i)mmorru, we go

tmur, you go   tmorru, you go

imur/jmur, he goes   imorru/jmorru, they go

tmur, she goes

Note 1.

The 1st consonant *n* of the 1st Person sing. and plural of the Present Tense changes to match with *l*, *m* and *r* if the verb begins with these consonants, thus-

(i)*m*mur (for *n*mur), I go; (i)*m*morru (for *n*morru), we go

(i)*r*rid (for *n*rid), I want; (i)*r*ridu (for *n*ridu) we want

Note 2.

The verb *noqgħod* (without bil-qiegħda) means to dwell, to live, to reside, thus:-

Fejn toqgħod? Where do you live? Noqgħod tas-Sliema, I live at Sliema. Fejn joqgħod is-Sur Camilleri? Where does Mr. Camilleri live? Joqgħod il-Belt, He lives at Valletta.

N.B. Kienet toqgħod, she lived (or) used to live.

3. **The Future Tense**

The Present and the Future have the same conjugation, e.g.

nikteb means *I write* or *I shall write*

niktbu means *we write* or *we shall write*

Sometimes the particles *sa*, *se*, *ser* and *ħa* are put in front of the

46

Present Tense when we wish to emphasize the Future, thus:-
nikteb, sa nikteb, se nikteb, ser nikteb and *ħa nikteb* have more or less
the same meaning (*I shall write*).

example:
L-ittra llum ma ktibthiex. Niktibha (or) sa niktibha għada.
I didn't write the letter today. I shall write it tomorrow.

4. (a) **The Future of the Verb To Be**

As we have already stated in Lesson One, the verb To Be has no
Present Tense in Maltese; sometimes we make use of the *Personal
Pronouns* (jien, int, hu, etc.) to render the Present Tense in English.
The *Past Tense* is *Kien*. (See Lesson Four)
The *Future Tense* is as follows:-

Singular	**Plural**
(i)nkun, I shall be	(i)nkunu, we shall be
tkun, you will be	tkunu, you will be
ikun/jkun, he will be	ikunu/jkunu, they will be
tkun, she will be	

This is also used for habitual present (Inkun hemm kuljum, I'm there
everyday).

(b) **The Future Tense of the Verb To Have**

For the *Present Tense* of the verb To Have we use *għandi, għandek,
għandu*, etc. (See Lesson Three).

For the Past Tense we use *kelli, kellek, kellu*, etc. (See Lesson 7).
The *Future Tense* is as follows:-

Singular	**Plural**
ikolli, I shall have	ikollna, we shall have
ikollok, you will have	ikollkom, you will have
ikollu, he will have	ikollhom, they will have
ikollha, she will have	

examples:-
għada nkun hemm, I'll be there tomorrow
għandek tuffieħ? Have you got apples?
le, ikolli għada, No, but I will have tomorrow.

Note:-

Ikolli, etc. + *Present* of any verb can also mean *I'll have to, I must*,
thus:-
Ikolli nikri taxi, I'll have to hire a taxi.

47

Ikolli nistudja biex ngħaddi mill-eżami, I'll have to study to get through the exam.

5. **The Verb Xtaq, to wish, want, would like to**

Past Tense

xtaqt, I wanted	xtaqna, we wanted
xtaqt, you wanted	xtaqtu, you wanted
xtaq, he wanted	xtaqu, they wanted
xtaqet, she wanted	

The Present Tense

nixtieq, I want, would like to	nixtiequ, we want, would like to
tixtieq, you want, would like to	tixtiequ, you want, would like to
jixtieq, he wants, would like to	jixtiequ, they want, would like to
tixtieq, she wants, would like to	

6. **How to render the English Infinitive To Do, etc.**

The English Infinitive, in such phrases as 'I would like to do something', is rendered in Maltese by the *present tense*, e.g.
Nixtieq *immur* Għawdex, I would like *to go* to Gozo.
Fejn tixtieq *tmur?* Where would you like *to go* to?
Nixtieq *noqgħod* fuq ir-ramel, I would like *to stay* on the sand
Ħarġet biex *tmur taħdem*, She went out *to go to work*.

N.B. The word *biex* in the above sentence means 'in order to'

7. **How to render You'd better do something**

The English expression You'd better do something is rendered by the comparative aħjar, better, followed by the present tense of a verb, e.g.
Aħjar tagħmel hekk, You'd better do so.
Aħjar immur Kemmuna, I'd better go to Comino.
Aħjar nikri taxi, I'd better hire a taxi.
Aħjar tikteb l-ittra llum milli għada, You'd better write the letter today rather than tomorrow.

WORD-LIST

X'ħin hu? What time is it? **It-tmíenja.** Eight o'clock.
márret, she went (from **mar, mur,** to go)
malájr, quickly
ħárġet biex tmur táħdem, she went out to go to work
ħádem, áħdem, to work

48

l-uffíċċju l-Belt, in the office in the City (of Valletta).
segretárju, segretarja, segretarji, secretary, secretaries
jíftaħ, opens (from **fétaħ, íftaħ,** to open)
fit-tmíenja u nofs, at half past eight
béżgħet, she was afraid, (from **béża',** to be afraid)
béżgħet li ma tkunx fil-ħin, she was afraid that she would not get there
   in time.
li, that
għalhékk, that is why
kíenet tóqgħod il-Gżíra, she lived in Gżira
bíeba, a small door; **il-bíeba tal-karózza;** the car door.
dáħlet ġéwwa, she got inside (from **dáħal, ídħol,** to enter)
kien hemm ħáfna tráffiku, there was a lot of traffic
xi ftit tard, a little late; **wáslet,** she arrived (from **wásal**)
ħadd ma qal xejn, nobody said anything
jídħlu ħáfna nies, many people come in (from **dáħal, ídħol**)
għal xi informazzjóni, for information
informazzjóni (f.), informazzjonijíet, information.
turíżmu, tourism (m.)
bonġórnu, bónġu, good morning
turíst/a/i, tourist/s
x'għándek bżonn? What do you require? What can I do for you?
bżonn (m.), need
nixtíeq immúr Għáwdex, I would like to go to Gozo (from **xtaq**)
kif nágħmel? How do I do it? How shall I get there? What should I do?
ára, Sinjúra, look, Madam
títlaq il-karózza tal-línja, the route bus leaves
għaċ-Ċirkéwwa, for Ċirkewwa; **mill-Belt,** from Valletta.
tásal iċ-Ċirkéwwa xi síegħa wára, it arrives at Ċirkewwa about an hour
   later. **lukánda (f.) lukándi,** hotel/s.
il-vapúr (m.) **/i,** steamer/s, boat/s, ship/s
jítlaq miċ-Ċirkéwwa għal Għáwdex, it leaves from Ċirkewwa for Gozo.
íssa tard wisq, it's too late now
id-dísgħa níeqes ħámsa, it's five to nine.
ikólli níkri táxi, I'll have to take (hire) a taxi.
kéra, íkri, to hire
għálja t-táxi, the taxi is expensive
ímma aħjár tágħmel hekk, but you'd better do so
fejn tixtíeq tmur? Where do you want to go?
nixtíeq nóqgħod fuq ir-rámel, I want to stay on the sand
għax-xemx, in the sun

49

hemm rámel ísfar u báħar blu, there are golden sands and a blue sea
u xemx táħraq, and a burning sun, (from **ħáraq, áħraq,** to burn)
grázzi, ímma aħjár immúr Kemmúna, thank you, but I'd better go to
  Comino
gremxúl (coll, noun), **gremxúla, gremxulíet,** lizard/s
aħjár, għall-kwiet, better, it's peaceful
kif tmur Kemmuna miċ-Ċirkéwwa? how do you go to Comino from
  Ċirkewwa?
bid-dgħájsa, by boat; **dgħájsa,** a small Maltese rowing boat.
ikóllok tíkri dgħájsa, you'll have to hire (take) a boat.
aħjár immúr tas-Slíema, I'd better go to Sliema
biss, only

TAĦRIĠ (Exercises)

(1.) **Wieġeb dawn il-mistoqsijiet** (Answer these questions)

1. Fejn ħarret Helen meta qabżet mis-sodda? 2. X'għamlet fil-kamra
tal-banju? 3. Fejn kienet taħdem? (Where did she work?) 4. Fejn
kienet toqgħod? 5. Kif marret il-Belt? 6. Għaliex (why) waslet tard
l-uffiċċju? 7. Għalfejn (what for) jidħlu ħafna nies l-uffiċċju? 8. Fejn
tixtieq tmur is-Sinjura Turista? 9. Fi x'ħin (at what time) titlaq il-
karozza għaċ-Ċirkewwa? 10. Meta jitlaq il-vapur għal Għawdex? 11.
Fejn tixtieq tmur Għawdex, is-Sinjura? 12. Hemm lukandi Marsalforn?
13. X'hemm Kemmuna, nies jew gremxul? 14. Kif tmur Kemmuna?
15. Fejn marret fl-aħħar is-Sinjura Turista?

(2.) **Agħti l-Preżent ta' dawn il-verbi** (Give the Present of the following
verbs)

ħadem (imperative: aħdem, aħdmu); *niżel* (inżel, inżlu, to go down);
fetaħ (iftaħ, iftħu); *għamel* (agħmel, agħmlu); *daħal* (idħol, idħlu);
ħareġ (oħroġ, oħorġu); *kines* (iknes, ikinsu, to sweep).

(3.) **Aqleb għall-Malti** (Translate into Maltese)

"What time is it now?" "It's eight o'clock". Helen jumped out of bed,
went into the bathroom, washed her face, dressed and went with her
car to her office in Valletta. Helen is a secretary in a tourist office. She
was late because there was a lot of traffic.
"Good morning," said a tourist.
"Good morning, Madam, what can I do for you?" answered Helen.
"I would like to go to Gozo; how shall I get there?"
"You take (tieħu) the route bus from Valletta to Ċirkewwa.
The bus leaves at nine o'clock. From Ċirkewwa you take the steam-

boat to Gozo."
"But it's five to nine now? Too late."
"You'll have to take a taxi."
"Yes, but it's too expensive." So she decided (iddeċidiet li) to go (present tense) to Sliema.

ID-DISA' LEZZJONI

(The Ninth Lesson)

SINJURA, ĦU PAĊENZJA

Is-Sinjura Camilleri, il-mara tat-tabib, kellha seftura, jisimha Karmena.

Dis-seftura kienet mara tajba ħafna imma kienet tinsa wisq.

Kull filgħodu, is-Sinjura kienet tgħid lil Karmena x'għandha tagħmel u titlaq għand il-ħbieb.

"Iftaħ it-twieqi; tiftaħx il-bieb; agħmel is-sodod; tagħmilx it-tapit hawn; aħsel il-platti; taħsilx il-kelb; iknes l-art; tiknisx il-bejt; agħlaq il-kxaxen, tagħlaqx il-kmamar; aħdem hawn; taħdimx hemm; agħmel din; tagħmilx dik." |

Karmena kienet dejjem tgħid 'iva' u qatt 'le'.

Malli toħroġ is-Sinjura mid-dar, Karmena kienet toqgħod bil-qiegħda u taħseb x'għandha tagħmel.

Imma, miskina, malajr kienet tinsa kollox.

Flok il-platti, kienet taħsel il-kelb; flok il-kmamar, kienet tiknes il-bejt, u flok ħaġa tagħmel oħra.

Darba waħda, marret is-suq bil-qoffa fuq rasha u l-kappell f'idha.

Kulħadd jidħak.

Daħlet għand tal-ħaxix. "Kilo laħam taċ-ċanga," qalet.

"Il-laħam mhux minn hawn, Sinjura, imma minn għand tal-laħam," qal tal-ħaxix.

Meta waslet id-dar, fil-qoffa kien hemm il-ħaxix, il-bajd, il-frott, il-ġobon, imma l-laħam ma kienx hemm.

Karmena kienet insiet il-laħam għand tal-grocer.

Għalhekk kellha toħroġ mill-ġdid.

Meta waslet lura d-dar, kien sar nofs in-nhar.

Daħlet fil-kċina u bdiet taqli l-laħam.

"X'qed tagħmel, Karmena?" staqsietha s-Sinjura Camilleri.

"Qed naqli l-laħam, Sinjura," wieġbet Karmena.

"Kif! L-ikel għadu mhux lest?"

"Le, Sinjura, għax insejt il-laħam għand tal-grocer."

"Tajjeb! Mela mhux sa nieklu qabel is-siegħa u nofs!"

"Le, Sinjura, ħu paċenzja."

"Issa, ili nieħu paċenzja bik, Karm!"

"Xi trid tagħmel, Sinjura!"

52

GRAMMAR

1. Weak Verbs

The *Weak Verbs* are those in which one radical consonant is one of the two weak consonants, *W* and *J*. They are so called because in some cases, these weak consonants disappear in the conjugation of the verb. They are of three classes:

A. Those with a weak consonant in the beginning of a verb, e.g. *wasal*, to arrive; *wiżen*, to weigh, *wiret*, to inherit.

B. Those with a weak consonant in the middle, e.g. *tar* (for ta*j*ar), to fly; *qal*, (for qa*w*al), to say; *kien* (for ka*w*an), to be.

C. Those with a weak consonant at the end, usually a *J*, e.g. *nesa* (for nesa*j*), to forget; *kera* (for kera*j*), to hire; *beda* (for beda*j*), to begin. In this lesson we are going to see the conjugation of the two main tenses and imperative of these verbs. Later on we shall go into more details on each class of verbs.

A
WASAL

wasalt	I arrived	wasalna	we arrived
wasalt	you arrived	wasaltu	you arrived
wasal	he arrived	waslu	they arrived
waslet	she arrived		
asal	arrive (sing.)	aslu	arrive (pl.)
nasal	I arrrive	naslu	we arrive
tasal	you arrive	taslu	you arrive
jasal	he arrives	jaslu	they arrive
tasal	she arrives		

B
TAR

tirt	I flew	tirna	we flew
tirt	you flew	tirtu	you flew
tar	he flew	taru	they flew
taret	she flew		
tir	fly (sing.)	tiru	fly (pl.)
ntir	I fly	ntiru	we fly
ttir	you fly	ttiru	you fly
itir/jtir	he flies	itiru/jtiru	they fly
ttir	she flies		

53

NESA

nsejt	I forgot	nsejna	we forgot
nsejt	you forgot	nsejtu	you forgot ·
nesa	he forgot	nsew	they forgot
nsiet	she forgot		
insa	forget (sing.)	insew	forget (pl.)
ninsa	I forget	ninsew	we forget
tinsa	you forget	tinsew	you forget
jinsa	he forgets	jinsew	they forget
tinsa	she forgets		

2. (a) **The Present Continuous Tense**

The present continuous tense expresses an action in progress at the time one is speaking, e.g. I am writing. In Maltese these actions are expressed by the word *qed* and the Present of a verb, e.g.

X'qed tagħmel? What are you doing?

Qed nikteb ittra. I'm writing a letter.

N.B. Instead of qed, one can use qiegħed (m.) qiegħda (f.), and qegħdin (pl.), e.g.

X'qiegħed tagħmel? What are you doing? (when addressing a man)

X'qiegħda tagħmel? What are you doing? (when addressing a woman)

X'qegħdin tagħmlu? What are you doing? (more than one person)

(b) **The Past Continuous Tense**

The past continuous tense expresses a progressive action in the past, e.g. I was writing. In Maltese these actions are expressed by kont, kien, kienet, etc. + qed (or) qiegħed, qiegħda, qegħdin + Present tense of a verb, e.g.

X'kont qed (qiegħed) tagħmel? What were you doing?

X'kontu qed (qegħdin) tagħmlu? What were you doing?

X'kienu qed (qegħdin) jagħmlu? What were they doing?

3. **Conjugation of some Irregular Verbs**

It is suggested that you learn the following irregular verbs because they are very frequently used.

(a) **To Be Called**

jisimni, I'm called, my name is,   jisimna, our name is

jismek, your name is   jisimkom, your name is

jismu, his name is   jisimhom, their name is

jisimha, her name is

Note: The word jisimni, etc. is not a verb; it is made up of the noun *isem* (name) and the *attached pronouns.*

Its *past tense* is formed by the verb *kien* (was), followed by the above words, e.g.

X'jismek? What's your name? Jisimni Pawlu. My name is Paul.
X'kien jismu dak ir-raġel? What was that man's name?

(b) Qal (To Say)

għedt	I said	għedna	we said
għedt	you said	għedtu	you said
qal	he said	qalu	they said
qalet	she said		
għid,	say (sing.)	għidu	say (pl.)
ngħid	I say	ngħidu	we say
tgħid	you say	tgħidu	you say
jgħid	he says	jgħidu	they say
tgħid	she says		

(c) Jaf (To Know)

naf	I know	nafu	we know
taf	you know	tafu	you know
jaf	he knows	jafu	they know
taf	she knows		
kun af,	know (sing.)	kunu afu	know (pl.)
kont naf	I knew	konna nafu	we knew
kont taf	you knew	kontu tafu	you knew
kien jaf	he knew	kienu jafu	they knew
kienet taf	she knew		

(d) Ġie (To Come)

ġejt	I came	ġejna	we came
ġejt	you came	ġejtu	you came
ġie	he came	ġew	they came
ġiet	she came		
ejja	come (sing.)	ejjew	come (pl.)
niġi	I come	niġu	we come
tiġi	you come	tiġu	you come
jiġi	he comes	jiġu	they come
tiġi	she comes		

(e) **Ha** (To Take)

ħadt	I took	ħadna	we took
ħadt	you took	ħadtu	you took
ħa	he took	ħadu	they took
ħadet	she took		
ħu	take (sing.)	ħudu	take (pl.)
nieħu	I take	nieħdu	we take
tieħu	you take	tieħdu	you take
jieħu	he takes	jieħdu	they take
tieħu	she takes		

Note:

The final consonant *d*, which appears in some of the above cases, appears again when the pronouns are attached to these verbs, e.g.

ħa l-kotba, he took the books; ħad̶hom, he took them
ħu l-ittra, take the letter; ħud̶ha, take it
nieħu l-ktieb, I take the book; nieħd̶u, I take it

(f) **Ra** (To See)

rajt	I saw	rajna	we saw
rajt	you saw	rajtu	you saw
ra	he saw	raw	they saw
rat	she saw		
ara	see (sing.)	araw	see (pl.)
nara	I see	naraw	we see
tara	you see	taraw	you see
jara	he sees	jaraw	they see
tara	she sees		

(g) **Kiel** (To eat)

kilt	I ate	kilna	we ate
kilt	you ate	kiltu	you ate
kiel	he ate	kielu	they ate
kielet	she ate		
kul	eat (sing.)	kulu	eat (pl.)
niekol	I eat	nieklu	we eat
tiekol	you eat	tieklu	you eat
jiekol	he eats	jieklu	they eat
tiekol	she eats		

(h) **Ta** (To Give)

tajt	I gave	tajna	we gave
tajt	you gave	tajtu	you gave
ta	he gave	taw	they gave
tat	she gave		
agħti	· give (sing.)	agħtu	give (pl.)
nagħti	I give	nagħtu	we give
tagħti	you give	tagħtu	you give
jagħti	he gives	jagħtu	they give
tagħti	she gives		

Note:
With attached pronouns, the imperative and present can drop *agħ* from the verb, e.g.
agħtini (or) *tini* l-ktieb, give me the book; agħtihuli (or) *tihuli*, give it to me.
nagħtik (or) (i)*ntik* il-kotba, I give you the books; nagħtihomlok (or) (i)*ntihomlok*, I give them to you.

4. **To Have to, must**

Present

The present of *to have to* is formed by għandi, għandek, etc. and the present of the verb, e.g.

għandi nikteb, I have to write
għandna niktbu, we have to write
għandek tikteb, you have to write
għandkom tiktbu, you have to write
għandu jikteb, he has to write
għandhom jiktbu, they have to write
għandha tikteb, she has to write

Past

The past is formed by kelli, kellek, etc. and the present, e.g.

kelli nikteb, I had to write,
kellna niktbu, we had to write
kellek tikteb, you had to write
kellkom tiktbu, you had to write
kellu jikteb, he had to write
kellhom jiktbu, they had to write
kellha tikteb, she had to write

Future

ikolli nikteb, I'll have to write
ikollok tikteb, you'll have to write

57

ikollu jikteb, he'll have to write
ikollha tikteb, she'll have to write
ikollna niktbu, we'll have to write
ikollkom tiktbu, you'll have to write
ikollhom jiktbu, they'll have to write

N.B. The negative ma......x is always attached to the *first verb*, e.g.
m'għandix, ma kellix, ma jkollix nikteb.

5. **Not Yet**

The expression *not yet* is rendered by għadni, għadek, etc. and a verb
in the negative, e.g.

għadni ma ktibtx, I've not written yet
għadek ma ktibtx, you've not written yet
għadu ma kitibx, he's not written yet
għadha ma kitbitx, she's not written yet
għadna ma ktibniex, we've not written yet
għadkom ma ktibtux, you've not written yet
għadhom ma kitbux, they've not written yet

6. **Used to do**

The expression *used to do something* shows a repeated action in the
past. This is rendered in Maltese by the verb *kont, kien, kienet,* etc.
followed by the Present Tense of a verb, e.g.:

Meta kont Pariġi, *kont naqra* l-gazzetta kuljum, When I was in Paris,
I used to read, (I read, I would read) the paper everyday.

kienet tinsa, she used to forget; *kienet tgħid,* she used to say, tell;
kienet taħsel, she used to wash; *kienet tiknes,* she used to
sweep.

WORD-LIST

seftúr/a/i, servant/s, maid/s
jisímha, her name is, she is called
kíenet tínsa, she used to forget; **nésa, ínsa**, to forget
kull filgħódu, every morning
kíenet tgħid, used to tell; **lil Karmena**, (to) Karmena
x'għándha tágħmel, what she had to do
títlaq (kíenet títlaq), she used to leave
għand il-ħbieb, (to see) her friends
tapít (m.), twápet, carpet/s; **għámel**, to do, put
platt (m.), plátti, plate/s
kexxún (m.), kxáxen, drawer/s

ħádem, áħdem, to work
kíenet tgħid, she used to say
qatt, never
málli (kíenet) tóħroġ, as soon as she went out
kíenet tóqgħod bil-qíegħda, she used to sit down
u (kíenet) táħseb, she used to think; ħáseb, áħseb, to think
x'għándha tágħmel, what she had to do
flok il-plátti, instead of the plates (dishes)
kíenet táħsel, she would wash
kíenet tíknes, she would sweep
u flok ħáġa tágħmel oħra, and instead of doing one thing, she would do
    another.
dárba wáħda, once upon a time
is-suq (m.), swieq, market/s
qóffa (f.), qófof, basket/s
kappéll (m.), kpíepel, hat/s
f'ídha, in her hand
tal-ħaxíx, the greengrocer
kílo láħam taċ-ċánga, a kilo of beef
il-láħam mhux minn hawn, you don't get meat here.
minn għand tal-láħam, from the butcher's
frott (coll. noun), frótta, frottíet, fruit/s
ġóbon (coll. noun), cheese
kíenet insíet, she had forgotten (see Lesson 5, the pluperfect)
kéllha tóħroġ, she had to go out
mill-ġdid, again, anew
lúra, back; kċina (f.), kitchen
kien sar nofs in-nhar, it was midday, noon
bdiet táqli, she began to fry; qéla, áqli, to fry
x'qed tágħmel? what are you doing?
staqsíet, she asked; staqsíetha, she asked her (from: stáqsa)
qed náqli l-láħam, I'm frying the meat
wíeġbet, she answered (from: wíeġeb)
kif! what do you mean!
l-íkel għádu mhux lest, the lunch isn't ready yet
għax, because
méla mhux sa níeklu qábel is-síegħa u nofs, well then, we are not going
    to eat before 1.30 p.m.
ħu paċénzja, be patient, have patience
íssa íli níeħu paċénzja bik, I've been patient with you for quite a long time
    now!

59

xi trid tágħmel, it can't be helped (lit. what can you do!)

TAĦRIĠ

(1) **Wieġeb dawn il-mistoqsijiet:-** (Answer these questions)
  1. X'kien jisimha s-seftura tat-tabib?
  2. X'kienet tgħid is-Sinjura Camilleri lis-seftura tagħha kull filgħodu?
  3. X'kienet twieġeb Karmena?
  4. X'kienet tagħmel Karmena meta toħroġ is-Sinjura mid-dar?
  5. Kif marret Karmena s-suq?
  6. X'qalet lil tal-ħaxix?
  7. X'kien hemm fil-qoffa?
  8. Għand min kienet insiet il-laħam, Karmena?
  9. X'ħin kien meta waslet lura d-dar?
  10. X'għamlet fil-kċina?
  11. Kien lest l-ikel?
  12. Ilha tieħu paċenzja s-Sinjura Camilleri b'Karmena?

(2) **Qiegħed il-pronomi mal-verb** (Join the pronouns to the verbs)
  example: iftaħ it-tieqa ...... (iftaħha)
  1. Iftaħ il-ktieb ......; 2. Iftħu t-twieqi ......; 3. Agħlaq il-bieb ......;
  4. Agħlqu l-bibien ......; 5. Naħsel il-kamra ......; 6. Jaħslu l-platti
  ......; 7. Tiknes l-art ......; 8. Ikteb l-ittra lili ......; 9. Agħti l-kotba
  lilhom ......; 10. Rajt il-karozza tiegħek fit-triq ......

(3) **Aqleb għall-Malti:-** (Translate into Maltese)
  Karmena was Mrs Camilleri's maid. She was a good woman, but she used to forget things a lot. Every morning the lady told her what to do, but she would soon (malajr) forget everything (kollox), and instead of doing one thing, she would do another. Instead of washing the rooms, she would wash the dog, instead of sweeping the roof, she would sweep the yard (bitħa), and instead of closing the windows, she would close the doors. One day she went shopping (marret tixtri) with her basket on her head and her hat in her hand. Instead of going to the butcher's, she went to the greengrocer's and asked (talbet) for a kilo of beef. Everybody laughed. It was midday when she got back home. She went into the kitchen but found out (sabet) that (li) she had left (forgotten) the meat at the grocer's. She had to go out again. When Mrs. Camilleri returned home, she found (sabet) Karmena frying the meat in the kitchen. Mrs. Camilleri was very angry (irrabjat ħafna) that the lunch wasn't ready yet.

60

L-GĦAXAR LEZZJONI
(The Tenth Lesson)

SINJURA, KOLLOX LEST

Il-bieraħ meta s-Sinjura Camilleri waslet lura mill-Belt, kien nofs in-nhar.
"Karm, għamilt dak kollu li kellek tagħmel, hux?"
"Iva, Sinjura, kollox lest."
"Ftaħt it-twieqi?"
"Iva, ftaħthom."
"Frixtha s-sodda?"
"Iva, frixtha."
"Il-bejt knistu?"
"Iva, knistu."
"Brava Karm. Kemm għandi seftura bil-għaqal."
"Sinjura, kollox għamilt. Il-kamra tas-sodda nadifa u għalaqtha."
"Sew għamilt, Karm. Issa m'hemmx għalfejn ngħidlek aktar: dan agħmlu;
dak tagħmlux; din il-libsa aħsilha; dik taħsilhiex; dawn il-kmamar iknishom;
dawk tiknishomx; jien sejra nixtri, toħroġx mid-dar."
"Le, Sinjura, m'hemmx għalfejn. Kollox nagħmel waħdi."
Tassew, Karmena kollox tagħmel, imma kollox tagħmel ħażin. U l-bieraħ
ukoll. It-twieqi ma fetħithomx; il-bejt ma kinsitux; is-sodda ma
firxithiex ...
"U issa x'qed tagħmel, Karm?" qalet is-Sinjura.
"L-ikel, Sinjura. Illum għamilt imqarrun fil-forn."
"Brava, Karm. Lest?"
"Le, dalwaqt. Qed nagħmlu."
"U l-laħam?"
"Il-laħam għamiltu fuq in-nar."
"Il-patata wkoll?"
"Iva, il-patata wkoll. Ħsiltha, qsamtha fi tnejn u għamiltha mal-laħam."
"Tajjeb, Karm. Sewwa għamilt. M'hawnx seftura aħjar minnek!
Imma malli s-Sinjura fetħet il-bieb tal-kċina ....
"X'waħda din! Xi storbju!" qalet.
Kollox kien ta' taħt fuq. Siġġijiet ma' l-art; il-mejda kollha platti maħmuġin;
duħħan iswed ħiereġ mill-forn; il-kelb jaqbeż u jinbaħ; il-qattus ġej u sejjer
'l hawn u 'l hemm.
"Hawn x'għamilt, Karm?" qalet is-Sinjura.
"Xejn, Sinjura, kollox lest."

61

GRAMMAR

1. **Revision of the attached pronouns:** (See Lessons 3 & 7)

   (a) **With Past Tense:**

   kitbu, he wrote it; kitbuh, they wrote it; kitbitu, she wrote it; ktibtu, I or you wrote it; ktibnieh, we wrote it; ma ktibniehx, we didn't write it; kitibhom, he wrote them; ma kitibhomx, he didn't write them; kitbilkom, he wrote to you; ma kitbilkomx, he didn't write to you; kitbitilna, she wrote to us; ma kitbitilniex, she didn't write to us; kitbulhom, they wrote to them; ma kitbulhomx, they didn't write to them.

   (b) **With Imperative**

   iktibhom, write them; tiktibhomx, don't write them; iktbuhom, write them; tiktbuhomx, don't write them; iktibha, write it; tiktibhiex, don't write it; iktbuha, write it; tiktbuhiex, don't write it.

   (c) **With Present Tense:**

   jiktibhom, he writes them; ma jiktibhomx, he doesn't write them; jiktbilhom, he writes to them; ma jiktbilhomx, he doesn't write to them; niktbuha, we write it; ma niktbuhiex, we don't write it; niktbulha, we write to her; ma niktbulhiex, we don't write to her; niktbilhom, I write to them; ma niktbilhomx, I don't write to them.

   (d) **The Two Pronouns joined together** (See Lesson 7 Section 3)

   niktibhomlhom, I write them to them; ma niktibhomlhomx, I don't write them to them; iktibhieli, write it to me; tiktibhilix, don't write it to me; ktibthulha, I wrote it to her; ma ktibthulhiex, I didn't write it to her; niktbuhulu, we write it to him; ma niktbuhulux, we don't write it to him; kitbithomli, she wrote them to me; ma kitbithomlix, she didn't write them to me; ktibtuhomlha, you wrote them to her; ma ktibtuhomlhiex, you didn't write them to her.

   Note: In certain cases, when a pronoun beginning with a vowel is joined to the verb, the last vowel of the verb is dropped, e.g. kiteb + u = kitbu, he wrote it (m.), qatel + ek = qatlek, he killed you, kiteb + ilhom = kitbilhom, he wrote to them, jikteb + ilkom = jiktbilkom, he writes to you (pl.).

2. **The Verb RIED (to wish, want)**

   The Verb Ried, irid has the same meaning to wish, want as Xtaq, jixtieq. (See Lesson 8 Section 5).

   Past

ridt	I wanted	ridna	we wanted
ridt	you wanted	ridtu	you wanted

ried	he wanted	riedu	they wanted
riedet	she wanted		

Present

rrid (for *n*rid)	I want	rridu (for *n*ridu)	we want
trid	you want	tridu	you want
irid/jrid	he wants	iridu/jridu	they want
trid	she wants		

Note 1. Ried + Present = to want + infinitive
ridt nikteb ittra, I wanted to write a letter.
iridu jiktbu ittra, they want to write a letter.
ma rridux immorru hemm, we don't want to go there.

Note 2. Ried + Present may also mean **To Have to**
il-bierah ridt immur il-Belt Valletta, yesterday I had to go to Valletta,
trid tistudja biex tghaddi mill-eżami, you (one) should study to (get
through) pass the exam.

3. **The Verb XTARA (To Buy)**

Past

xtrajt	I bought	xtrajna	we bought
xtrajt	you bought	xtrajtu	you bought
xtara	he bought	xtraw	they bought
xtrat	she bought		

Imperative

ixtri,	buy (sing.)	ixtru	buy (pl.)

Present

nixtri	I buy	nixtru	we buy
tixtri	you buy	tixtru	you buy
jixtri	he buys	jixtru	they buy
tixtri	she buys		

mort nixtri, I went shopping.
irrid nixtri, I want to buy (or) I've got to buy
xtrajt libsa, I bought a dress (or) a suit.

4. **The Present Participle**

The Present Participle has the following forms:-

Verb	Masc. Sing.	Fem. Sing.	Plural
dahal (to enter)	diehel	diehla	dehlin
hareġ (to go out)	hiereġ	hierġa	herġin
niżel (to go down)	nieżel	nieżla	neżlin
tela' (to go up)	tiela'	tielgha	telghin

libes (to dress)	liebes	liebsa	lebsin
ħeles (to free)	ħieles	ħielsa	ħelsin
raqad (to sleep)	rieqed	rieqda	reqdin
qagħad (to sit)	qiegħed	qiegħda	qegħdin
waqaf (to stand, stop int.)	wieqaf	wieqfa	weqfin
mexa (to walk)	miexi	miexja	mexjin
ġera (to run)	ġieri	-	-
miet (to die)	mejjet	mejta	mejtin
sar (to become, go)	sejjer	sejra	sejrin
ġie (to come)	ġej	ġejja	ġejjin

Note 1.

In the masculine and feminine singular, the first vowel of the verb stem changes into *ie*. In the plural the accent falls on the last syllable, and this causes the first vowel *ie* to change into '*e*'.

Very few verbs have the present participle; the above being the most commonly used.

Note 2. How to use the Present Participle

(a) *As an adjective qualifying a noun:-*
Kelb *rieqed* la tqajmux, let *sleeping* dogs lie.

(b) *As a predicative adjective:-*
rajt raġel *nieżel* it-taraġ, I saw a man going down the staircase. *Nieżel* here stands for, as he *was going down*.

(c) *In such adverbial clauses, as,*
Jien u *dieħel*, rajt raġel, as I was going in, I saw a man.
Aħna u *ħerġin*, rajna kelb fit-triq, as we were going out, we saw a dog in the street.
Hi u *nieżla* mill-karozza, waqgħet, as she was getting off the bus, she fell down.

5. **Kollox, kulma, kolli, etc.**

(a) *kollox* means *everything*
kollox lest, everything is ready.
għamilt kollox, I did everything.
kollox qiegħed fuq il-mejda, everything is on the table.

(b) *kulma* means *all that, everything that*
għamilt *kulma* għedtlek, hux? you've done all that I told you, haven't you?
One can also say: għamilt dak *kollu li* għedtlek, hux?

(c) *kolli, kollok, kollu, kollha, kollna, kollkom, kollhom.*

These adjectives mean *all, whole,* e.g.

qara l-ktieb kollu, he read the whole book.

kines id-dar kollha, he swept all the house.

in-nies kollha marru l-Belt, all the people went to the city.

N.B. With a plural noun, the feminine adjective *kollha* is used instead of the plural (kollhom), e.g. *it-tfal kollha,* all the children.

6. **Waħdi, waħdek, etc.**

waħdi, by myself, alone

waħdek, by yourself, alone

waħdu, by himself, alone

weħidha, by herself, alone

weħidna, by ourselves, alone

weħidkom, by yourselves, alone

weħidhom, by themselves, alone

WORD-LIST

għamílt dak kóllu li kéllek tágħmel, hux? you've done all that you had to do, haven't you?

kóllox lest, everything is ready.

fríxtha s-sódda? have you made the bed? (**fírex,** to spread out)

bráva, well done (**brávu, bráva, brávi**)

kemm għándi seftúra bil-għáqal, what a good maid I've got!

għáqal (m.), wisdom; **bil-għáqal,** wise; here, good.

nadíf/a, nódfa, clean, tidy; **għaláqtha,** I've shut it up

sew għamílt, well done; you did the right thing

íssa m'hemmx għalféjn ngħídlek áktar, now there is no need to tell you any longer.

jien séjra níxtri, I'm going shopping

séjjer, séjra níxtri, I'm going shopping

séjjer, séjra, sejrín, going (present participle of sar, to go)

xtára, íxtri, to buy

toħrógx mid-dar, don't go out of the house

kóllox nágħmel wáħdi, I do everything alone, by myself

tasséw, it's true

ħażín/a, ħżíena (adj.) bad, **rágel ħażín,** a bad man

kóllox tágħmel ħażín, she does everything wrong.

it-twíeqi ma fetħithomx, she didn't open the windows, (notice the double direct object)

imqarrún (m.) fil-forn, baked macaroni; **forn (m.),** oven

le, dalwáqt, no, but it soon will be.

65

il-láħam għamíltu fuq in-nar, I've done the meat on the fire
nar (m.), niríen, fire
patáta (f.) patatíet, potato/es; ukoll, too, as well
ħsíltha, I've washed them (lit. it f.)
qsámtha fi tnejn, I've cut them in two (lit, here again, it f.)
qásam, áqsam, to divide, to cut
għamíltha mal-láħam, I've put them (it) with the meat.
tájjeb, good; séwwa għamílt, you've done well
m'hawnx seftura aħjár mínnek, there is not a better maid than you.
x'wáħda din! Good heavens!
xi stórbju, what a mess, confusion
kóllox ta' taħt fuq, everything upside down, taħt, under
siġġijíet ma' l-art, the chairs on the floor
il-méjda kóllha plátti maħmuġín, dirty plates all over the table; platt
　(m.) plate; maħmúġ/a/in, dirty.
duħħán iswed ħiereġ mill-forn, black smoke coming from the
　oven; ħiereġ, ħierġa, ħerġín, coming out (pres. part. of ħáreġ); forn
　(m.), oven
il-kelb jáqbeż u jínbaħ; the dog jumping and barking
nébaħ, jínbaħ, to bark; (note that the verb nébaħ has no pres. part. and
　therefore we use the present tense instead; the same with qabeż,
　jáqbeż).
il-qattús ġej u séjjer 'l hawn u 'l hemm, the cat running all over the place,
　(lit. coming & going here & there)
'l = lil, to, towards, showing direction

TAĦRIĠ (Exercises)

(1.) Wieġeb dawn il-mistoqsijiet:- (Answer these questions)

1. X'ħin kien meta s-Sinjura Camilleri waslet lura mill-Belt? 2.
Kienet għamlet kollox, Karmena? 3. Fetħithom it-twieqi? 4. Firxitha
s-sodda? 5. Kinsitu l-bejt? 6. Hemm għalfejn tgħidilha aktar is-
Sinjura lil Karmena x'għandha tagħmel? 7. Għaliex le? 8. Dak li
tagħmel Karmena, tagħmlu tajjeb jew ħażin? 9. X'kienet qed tagħmel,
Karmena, meta waslet is-Sinjura mill-Belt? 10. X'għamlet għall-
ikel? 11. Għamlitu l-laħam fuq in-nar? 12. X'għamlet bil-patata? 13.
X'rat is-Sinjura meta fetħet il-bieb tal-kċina?

(2.) Qiegħed il-pronomi mal-verbi:- (Join the pronouns to the verbs)

1. Iftaħ it-twieqi ......; 2. Ifrex is-sodda ......; 3. Iknes il-bejt ......;
4. Aħsel il-libsa ......; 5. Ixtri l-ħobż ......; 6. Nagħmel il-ħwejjeġ
(clothes) fuq il-mejda ......; 7. Naqli l-laħam ......; 8. Naqsam il-

66

patata ......; 9. Nagħti l-kotba lilek ......; 10. Nagħtu l-ittri lilhom ......; 11. Kiteb l-ittra lilha ......; 12. Aħsel idejk (hands) ......

(3.) **Aqleb għall-Malti.** (Translate into Maltese)

It was midday when Mrs. Camilleri came back from Valletta.

"Have you done everything?" she asked Karmena, her maid.

"Yes, Madam, everything is ready," answered Karmena.

"What a good maid I have!" said the lady. "Now there is no need to tell you any longer what to do (dak li għandek tagħmel)."

"No. I can do everything by myself."

But Karmena does everything wrong. Today she didn't close the windows, and she didn't wash the floor.

"What are you doing now," asked the lady when she came back from Valletta.

"Baked macaroni," said the maid.

But when the lady opened the kitchen-door, "Good heavens! What a mess!" she said.

The chairs on the floor, smoke coming from the oven, dirty plates on the table ......

"What's this?" asked the lady.

"Nothing, madam, everything is ready."

IL-ĦDAX-IL LEZZJONI

(The Eleventh Lesson)

MIN XOROB IL-WHISKY?

Is-Sinjur u s-Sinjura Johnson huma Ingliżi.

Għandhom ħafna ħbieb Maltin għax huma minn tagħna ħafna u jgħidu xi erba' kelmiet bil-Malti wkoll.

Kull filgħodu, is-Sinjura Johnson tmur hi stess tixtri u tgħid lil tal-ħanut bil-Malti:

"Dan kemm hu?" Dik kemm hi?" "Għaġin għandek? Te? Kafè? Ħobż? Agħmilli kilo u nofs basal u żewġ kili patata.

Agħżilli bittieħa tajba. Xejn aktar. Iktibli l-kont u ibgħatli kollox id-dar, jekk jogħġbok."

Tal-ħanut ħelu ħafna; dejjem jidħak.

"Bonġu Sinjura Johnson. Kif int dal-għodu? Tajba, hux?

Illum x'nagħmillek? Kwart perżut? X'aktar? Iva, Sinjura, zokkor, butir, ross, bajd, melħ, bżar u ġobon. Kollox għamiltlek. Iva, langas għandi, sabiħ ħafna. Nagħmillek ratal? Xejn aktar? Iva, Sinjura, niktiblek il-kont u nibgħatlek kollox id-dar mat-tifel. Saħħa u sellili għas-Sur Johnson. Grazzi ħafna."

Tereż, is-seftura, tgħidilha wkoll bil-Malti:

"X'nagħmillek, Sinjura? X'nagħmillu s-Sinjur? Nifthilkom it-twieqi? Nagħlqilkom il-bieb? Niknislek il-bejt? Nifrixlu s-sodda s-Sinjur? Noħroġlok il-kelb barra? Naħsillek il-platti? It-tieqa tal-kamra tal-ikel magħluqa, niftaħha? Il-bieb tal-kamra tas-sodda miftuħ, nagħlqu? Il-karozza tas-Sinjur maħmuġa, naħsilhielu?"

Is-Sinjura Johnson daqqa tifhem u daqqa ma tifhimx.

"X'qallek tagħmillu s-Sinjur dal-għodu, Tereż?"

"Qalli naħsillu l-qmis u l-qalziet; nimsaħlu l-iskrivanija; ma niftaħlux it-twieqi tal-kamra tiegħu; niktiblu xi ħaġa bil-Malti; u ......"

"X'aktar, Tereż?"

"Xejn aktar, Sinjura."

"Ma qallekx tixroblu l-whisky, hux, għax hawn riħa ta' whisky fil-kamra!?

"Le, Sinjura, il-whisky hu xorbu qabel ma ħareġ."

"Iva! Issa ngħidlu jien la jiġi."

GRAMMAR

1. ### The Plural Number of Nouns and Adjectives

We have so far given in the word-list of each lesson the plural of nouns and adjectives without having explained how this plural is formed, the reason being that many different forms or patterns are used. We hope that by now the student has learned to appreciate the importance of these word forms in Maltese.

There are two types of plural:-

(a) **The Sound Plural**

This is formed by adding certain endings to the singular noun or adj. which remain 'whole' or 'sound', when these endings are added to them. These endings are:- *n, in, (a)t, (ie)t, ijiet, an, ien, i*, e.g.

(i) - *n*

Malti, Maltin (Maltese); raħli, raħlin (villager/s); baħri, baħrin (sailor/s); Għawdxi, Għawdxin (Gozitan/s).

(ii) - *in*

ħalliel, ħallelin (thief/thieves); bniedem, bnedmin (human being/s): tajjeb, tajbin (good); dieħel, deħlin (entering).

(iii) - *(a)t*

tuffieħa, tuffiħat (apple/s); ġimgħa, ġimgħat (week/s); siegħa, sigħat, (hour/s).

(iv) - *(ie)t*

tuffieħa, tuffiħiet (apple/s); baqra, baqriet (cow/s); werqa, werqiet (leaf, leaves)

(v) - *ijiet*

omm, ommijiet (mother/s); missier, missirijiet (father/s); siġġu, siġġijiet (chair/s); art, artijiet (country, countries); tieġ, tiġijiet (wedding/s); lezzjoni, lezzjonijiet (lesson/s); klassi, klassijiet (class/es); isem, ismijiet (name/s).

(vi) - *ien*

bieb, bibien (door/s); nar, nirien (fire/s); ġar, ġirien (neighbour/s); sid, sidien (master/s, lord/s).

(vii) - *i*

annimal, annimali (animal/s); vapur, vapuri (ship/s); seftur/a/i, (servant/s, maid/s); platt, platti (plate/s), Taljan/a/i, (Italian/s); Ingliż/a/i, (Englishman/men); Ġermaniż/a/i, (German/s); Franċiż/a/i, (Frenchman/men); Spanjol/a/i, (Spaniard/s); Grieg/a/i, (Greek/s); Portugiż/a/i, (Portuguese); Pollakk/a/i, (Pole/s); Amerikan/a/i, (American/s); Russu, Russa, Russi (Russian/s); Ġappuniż/a/i, (Japanese).

(b) The Broken Plural

The Broken Plural is so called because it is not formed by the addition of certain endings to the singular noun or adj., but by the breaking up of these words into different plural forms or patterns. We have already seen many of these patterns in the previous lessons. The following are the most important plural patterns:-

(i) CCâC

dar, *djar* (house/s); tifel, *tfal* (boy, children); kbir, *kbar* (big); żgħir, *żgħar* (small); fqir, *fqar* (poor); twil, *twal* (tall).

(ii) CvCCa

ktieb, *kotba* (book/s); marid, *morda* (sick, ill); qadim, *qodma* (old); ġdid, *ġodda* (new); saqaf, *soqfa* (ceiling/s); tabib, *tobba* (doctor/s); ġnien, *ġonna* (garden/s); qasir, *qosra* (short).

(iii) CCieC

raġel, *rġiel* (man, men); bint, *bniet* (daughter/s); belt, *bliet* (city, cities); kelb, *klieb* (dog/s); ħabib, *ħbieb* (friend/s); wild, *ulied* (son, children); fenek, *fniek* (rabbit/s).

(iv) CCûC

qalb, *qlub* (heart/s); xemx, *xmux* (sun/s); bejt, *bjut* (roof/s); xahar, *xhur* (month/s); moħħ, *mħuħ* (mind/s/, brain/s); wiċċ (wiċh), *uċuh* (face/s); xiħ, *xjuħ* (old man/men); ras, *rjus* (head/s).

(v) CCuCa

raħal, *rħula* (village/s); qamar, *qmura* (moon/s); ħabel, *ħbula* (rope/s).

(vi) CCvjjvC

ħaġa, *ħwejjeġ* (thing/s); xmara, *xmajjar* (river/s); dgħajsa, *dgħajjes* (boat/s); ħliqa, *ħlejjaq* (creature/s); għadira, *għadajjar* (pond/s, puddle/s); kċina, *kċejjen* (kitchen/s); knisja, *knejjes* (church/es); mejda, *mwejjed* (table/s).

(vii) CCieCvC

ħanut, *ħwienet* (shop/s); kewba, *kwiekeb* (star/s); ħanżir, *ħnieżer* (pig/s); qalziet, *qliezet* (trousers); żiemel, *żwiemel* (horse/s); kappell, *kpiepel* (hat/s); ġurdien, *ġrieden* (mouse, mice).

(viii) CCaCvC

kamra, *kmamar* (room/s); żarbun, *żraben* (shoe/s); tapit, *twapet* (carpet/s); qattus, *qtates* (cat/s); kexxun, *kxaxen* (drawer/s); duħħan, *dħaħen* (smoke); sultan, *slaten* (ruler/s); saba', *swaba'* (finger/s); salib, *slaleb* (cross/es).

70

(ix) CvCvC

sodda, *sodod* (bed/s); triq, *toroq* (street/s); qoffa, *qofof* (basket/s); qmis, *qomos* (shirt/s); isfar, *sofor* (yellow).

N.B. For colours see lesson 2 section 3.

(x) CCieCi

bitħa, *btieħi* (yard/s); libsa, *lbiesi* (dress/es, suit/s); tieqa, *twieqi* (window/s); sieqja, *swieqi* (aquaduct/s).

N.B. As it has already been suggested, the best way to remember the plural of a noun is to learn its plural together with its gender and meaning.

2. **Names of Countries and Cities**

   Most names of countries take the definite article, but those of foreign cities usually don't. However, most names of Maltese cities and villages take the definite article.

Names of Countries	Names of Cities
l-Ingilterra, England	Londra, London
il-Ġermanja, Germany	Berlin, Berlin
l-Italja, Italy	Ruma, Rome
Franza, France	Pariġi, Paris
Spanja, Spain	Madrid, Madrid
il-Portugall, Portugal	Lisbona, Lisbon
il-Greċja, Greece	Atene, Athens
il-Polonja, Poland	Varsavja, Warsaw
ir-Russja, Russia	Moska, Moscow
il-Ġappun, Japan	Tokjo, Tokyo
Malta, Malta	Il-Belt Valletta
	Il-Mellieħa, il-Mosta, in-Naxxar

   Examples:-

   Minn fejn int? Where do you come from? Minn Malta, from Malta.
   Int Ingliż? Are you English? Huma Taljani? Are they Italians?
   Ktieb Malti, A Maltese book. Karozza Ġermaniża, A German car.
   Fejn sejjer? Where are you going to? Sejjer il-Ġermanja, I'm going to Germany. Fejn taħdem? Where do you work? L-Italja, in Italy.

3. **The Past Participle**

   The Past Participle always begins with an *m* and behaves like an adjective, and therefore it agrees in gender and number with the noun it qualifies. The following is a list of the past participles of some verbs we have already seen.

71

Verb	Mas. sing. fem. sing. plural
fetaħ (to open)	miftuħ (opened), miftuħa, miftuħin
għalaq (to close)	magħluq (closed), magħluqa, magħluqin
qatel (to kill)	maqtul (killed), maqtula, maqtulin
ħasel (to wash)	maħsul (washed), maħsula, maħsulin
bena (to build)	mibni (built), mibnija, mibnijin
kera (to hire)	mikri (hired), mikrija, mikrijin
ta (to give)	mogħti (given), mogħtija, mogħtijin
ħa (to take)	meħud (taken), meħuda, meħudin
kiel (to eat)	mekul (eaten), mekula, mekulin

Examples:-

bieb *miftuħ*, an open door; it-twieqi kollha *miftuħin*, all the windows are open; tieqa *miftuħa*, an open window; il-bieb *magħluq*, the door (is) closed; karozza *mikrija*, a hired car; ħwejjeġ *maħsulin*, washed clothes.

Note:- The past participle can also be used with the verb *kien* to express the passive voice, e.g.

ħafna suldati *kienu maqtulin* fil-gwerra, many soldiers were killed during the war.

il-mara *kienet maqtula* mill-ħalliel, the woman was killed by the thief.

However, in this case it's more common to use the active voice, e.g.
Il-ħalliel *qatel* il-mara, the thief killed the woman.

4. **Weights and Measurements**

kilo patata, a kilo of potato
litru ħalib, a litre of milk
żewġ kili basal, two kilos of onions
nofs kilo kafè, half a kilo of coffee
flixkun inbid, a bottle of wine
mitt gramm te, 100 grams of tea
pakkett sigarretti, a packet of cigarettes
seba' mija u ħamsin gramm laħam taċ-ċanga, 750 grams of beef
kilo u nofs laħam tal-vitella, one and a half kilo of veal
kilo laħam tal-majjal, a kilo of pork
żewġ fliexken ilma, two bottles of water
tazza ilma, a glass of water
tliet tazzi birra, three glasses of beer
tliet pari ngwanti, three pairs of gloves
ratal (800 grams) laħam, a rotolo of meat (rarely used nowadays)
nofs artal (400 grams) patata, half a rotolo of potatoes

72

kwart perżut, 200 grams of ham

Is-Sur Camilleri jixtri ħobża tal-Malti ħames ċenteżmi, Mr. Camilleri buys a Maltese loaf for five cents.

Jixtri wkoll kilo laħam frisk tal-vitella. He also buys a kilo of fresh veal.

Il-laħam għali ħafna, meat is very expensive.

WORD-LIST

min, who

habíb/a, ħbieb, friend/s

Málti/ja/n, Maltese

għax húma minn tágħna ħáfna, because they are very nice (people).

jgħídu xi érba' kelmíet bil-Málti, they can speak a few words in Maltese.

kélma (f.), kelmíet, word/s

bil-Málti, in Maltese

tmur tíxtri, she goes shopping

hi stess, by herself

tgħid lil tal-ħanút, she tells the shopkeeper

dan kemm hu? How much is this?

għaġín (m.) (collective noun), pasta

agħmílli (agħtíni) kílo u nofs básal, give me 1 1/2 kilos of onions.

żewġ kíli patáta, 2 kilos of potatoes

agħżílli bittíeħa tájba, choose a good melon for me.

xejn áktar, there is nothing else

iktíbli l-kont, write the bill for me.

ibgħátli kóllox id-dar, send everything to the house

jekk jógħġbok, please

tal-ħanút ħélu ħáfna, the shopkeeper is very nice

déjjem jídħak, he's always laughing (smiling)

kif int dal-għódu? how are you this morning?

illúm x'nagħmíllek? what can I do for you?

kwart perżút? 200 grams of ham?

zókkor (m.), sugar

butír (m.), butter

ross (m.), rice

melħ (m.), salt

bżar, (m.), pepper

ġóbon, (m.), cheese

kóllox għamíltlek, I've done it all for you.

73

langás/a, langasíet, pear/s
nagħmíllek rátal, shall I give you a rotolo?
nibgħátlek kóllox id-dar mat-tífel, I will send everything up with
the boy
sellíli għas-Sur Johnson, remember me to Mr. Johnson
grázzi ħáfna, thank you very much; sélla (to greet)
noħróġlok il-kelb bárra, shall I take the dog out for you?
il-kámra tal-íkel, the dining-room
il-kámra tas-sódda, the bed-room
maħmúġ/a/in, dirty
dáqqa tífhem u dáqqa ma tifhímx, sometimes she understands and
sometimes she doesn't
féhem, ífhem, to understand
x'qállek tagħmíllu?, what did he ask you to do for him?
qálli naħsíllu l-karozza, he asked me to wash his car (lit, the car) for
him).
qmis, (f.), qómos, shirt/s
qalzíet, (m.), qlíezet, trousers
nimsáħlu l-iskrivaníja, (he asked me) to wipe his writing desk;
mésaħ, ímsaħ (to wipe)
x'áktar? what else?
xejn áktar, nothing else
ma qallékx tixróblu l-whisky, hux?, he did not ask you to drink his
whisky, did he? (lit, the whisky for him)
għax hawn ríħa ta' whisky fil-kámra, because there is a smell of
whisky in the room!
il-whisky hu xórbu, he drank the whisky himself
qábel ma ħáreġ, before he went out
íssa ngħídlu jien la jíġi. (or: meta jiġi), when he comes back I'll give
him a piece of my mind. (lit. I'll tell him).

TAĦRIĠ (Exercises)

(1.) Wieġeb dawn il-mistoqsijiet:- (Answer these questions)
1. X'nazzjonalità (what nationality) huma s-Sur u s-Sinjura Johnson?
2. X'tagħmel is-Sinjura Johnson kull fil-għodu?
3. X'tixtri?
4. Kif inhu tal-ħanut? (What is the shopkeeper like?)
5. X'jgħidilha tal-ħanut lis-Sinjura Johnson meta tmur tixtri?
6. Ma' min jibagħtilha kollox id-dar tal-ħanut?
7. Min hi Tereża?
8. Xi kwalità (what kind) ta' xogħol tagħmlilha Tereża lis-Sinjura?

74

9. Dejjem tifhem bil-Malti s-Sinjura Johnson?

10. X'qalilha tagħmillu lil Tereża s-Sur Johnson?

11. Min xorbu l-whisky, Tereża jew is-Sur Johnson?

(2.) **Qiegħed iż-żewġ suffissi pronominali mal-verbi li ġejjin.**
(Join the direct and indirect pronouns to the following verbs.)
example: nifthilkom it-twieqi? ...... (niftaħ*homlkom*).

1. Nagħlqilkom it-twieqi? ....? 2. Jiftaħli l-bieb ....; 3. Aqrali dik l-ittra .... (qara, aqra, to read); 4. Nikinsilkom il-bejt ....; 5. Ifrixlu s-sodda ....; 6. Naħsillu l-qmis ....; 7. Timsħilha l-iskrivanija ....; 8. Tiftaħlix il-kamra ....; 9. Tiktiblix l-ittra ....; 10. Tixroblux il-whisky ...

(3.) **Aqleb għall-Malti.** (Translate into Maltese)

They are English and live in Malta, and can say a few words in Maltese. Every morning they go shopping and ask the shopkeeper: "How much is that?" The shopkeeper is very nice and answers in Maltese: "That's Lm1.00 a kilo." (il-kilo). "Give us two kilos, please!" "Yes, Madam, and what else can I do for you (nagħmlilkom)?" "We would like three bottles of wine, a Maltese loaf, 200 grams of ham, two bottles of milk, 2 1/2 kilos of potatoes, cheese, sugar and butter." "Yes, Madam, I've given you everything. Anything else, please?" "No, that's all for today. Will you please send everything up with the boy because we are now going (sejrin) to Valletta." "Yes, of course, Madam." "Thank you." "It's alright, Madam (don't mention it, m'hemmx imniex).Bye."

IT-TNAX-IL LEZZJONI
(The Twelfth Lesson)

L-AĦBARIJIET TA' MALTA

Is-Sinjura Johnson issa bdiet taqra wkoll xi ħaġa bil-Malti.
Kull fil-għodu wara x-xogħol tad-dar tiftaħ il-ġurnal u tibda taqra.
Ma tifhimx kollox imma dejjem tgħidlek x'inhu jiġri Malta u Għawdex.
Is-seftura tagħha taqralha xi kelma diffiċli u hekk it-tnejn flimkien jaqraw artikli twal.
"Tereż, x'aħbarijiet għandna llum?" tgħidilha s-Sinjura.
"Aqra din, Sinjura."
Is-Sinjura Johnson taqra: 'Il-bieraħ ġraw ħafna disgrazzji.
Sajjetta laqtet ħaddiem li kien qed jibni dar u ħarqitu.
Tifel, li kien qed jiġri fuq il-bejt, waqa' mill-bejt għal isfel.
Karozza mxiet weħidha, daħlet f'ħanut u qatlet mara.'
"Kemm disgrazzji qegħdin jiġru Malta, hux, Sinjura?" qaltilha Tereż.
"Veru, kuljum tiġri xi disgrazzja."
Dak il-ħin l-arloġġ tal-knisja daqq nofs in-nhar.
"Tereż, x'ħin hu?"
"Nofs in-nhar."
"X'waħda din! L-ikel! Insejtu!" qalet is-Sinjura u telqet tiġri lejn il-kċina.
Fuq in-nar kellha kaboċċa kbira li kienet imliet bil-laħam.
Jaħasra l-kaboċċa!
Is-Sinjura kellha tarmi kollox.
"Malajr, Tereż, imla borma oħra bl-ilma għall-brodu. Aqli l-laħam u l-patata għalina, u għas-Sinjur, ixwi l-ħut. Isa, għax ġa daqq nofs in-nhar."
Miskina s-Sinjura Johnson; kemm swewlha flus dawk l-imberkin aħbarijiet ta' Malta.
Meta s-Sur Johnson wasal lura mill-Belt, qal lill-mara tiegħu: "Taf lil min rajt dal-għodu l-Belt?" "Lil min?" staqsietu s-Sinjura Johnson."
"Lil Marija, il-mara tat-tabib Camilleri. Selliet ħafna għalik u qaltlek biex tibqa' taqra l-aħbarijiet bil-Malti ħalli titgħallem il-Malti."

GRAMMAR

1. **Verbs with a Weak Third Consonant** (See Lesson 9 Section 1 C)
    In lesson nine weak verbs have been divided into three classes: (A) wasal, (B) tar, and (C) nesa. The conjugation of the past and present tenses has also been given.

76

In this lesson, and the following one, we shall see in more detail each group of weak verbs, starting with those with a weak third consonant. In the *past tense all verbs* belonging to this class are *conjugated like nesa*, (see lesson 9 Section 1 C), e.g.

Past

bdejt	I began	bdejna	we began
bdejt	you began	bdejtu	you began
beda	he began	bdew	they began
bdiet	she began		

Imperative

ibda	begin (sing.)	ibdew	begin (pl.)

Present

nibda	I begin	nibdew	we begin
tibda	you begin	tibdew	you begin
jibda	he begins	jibdew	they begin
tibda	she begins		

Note 1. In the *past tense* the verb *qara* (to read) has the vowel *a* instead of *e*, e.g.

qrajt	I read	qrajna	we read
qrajt	you read	qrajtu	you read
qara	he read	qraw	they read
qrat	she read		

Note 2. In the *present* the following verbs are conjugated like *beda*; *mela*, imla, to fill; *sewa*, iswa, to be worth, cost, and *nesa*, insa, to forget. The verb *qara*, aqra, to read, has the vowel *a* throughout, e.g.

naqra	I read	naqraw	we read
taqra	you read	taqraw	you read
jaqra	he reads	jaqraw	they read
taqra	she reads		

Note 3. The verbs *mexa*, imxi, to walk, *kera*, ikri, to hire, *bena*, ibni, to build, *gera*, iġri, to run, *gara*, jiġri, to happen, *xewa*, ixwi, to grill and *feda*, ifdi, to redeem, have the following conjugation of the present:

nimxi	I walk	nimxu	we walk
timxi	you walk	timxu	you walk
jimxi	he walks	jimxu	they walk
timxi	she walks		

Note 4. The verbs *rema*, armi, to throw away, *ħeba*, aħbi, to hide,

qeda, aqdi, to serve, *qela*, aqli, to fry and *ħela*, aħli, to waste, have the following conjugations:

narmi	I throw away	narmu	we throw away
tarmi	you throw away	tarmu	you throw away
jarmi	he throws away	jarmu	they throw away
tarmi	she throws away		

2. The Infinitive

The English Infinitive is usually rendered in Maltese by the *present tense*, e.g.

Is-Sinjura Johnson tħobb *taqra* l-gazzetta kuljum, Mrs. Johnson likes to read the paper every day.

Tħobb *tikteb* bil-Malti? Do you like writing (to write) in Maltese?

Insejt *nagħlaq* it-twieqi, I forgot to shut the windows.

Doris bdiet *titgħallem* l-Ingliż, Doris began to learn English.

Bdew *jibnu* dar, they began to build a house.

Rajt mara *ddoqq* il-pjanu, I saw a woman play the piano.

Smajtu *jkanta*, I heard him sing.

Mort Franza *nistudja* l-Franċiż, I went to France to study French.

Ġiet Malta *titgħallem* il-Malti, she came to Malta to learn Maltese.

3. Personal lil

It is interesting to note that in Maltese, as in Spanish, most verbs must be followed by lil when the direct object of the verb is a proper noun, e.g.

Is-Sur Johnson ra *lil* Marija, Mr. Johnson saw Marija.

Inħobb *lil* ommi, I love my mother.

Inħobb *lil* Alla, I love God.

Żar *lil* oħtu, he visited his sister.

Lil min rajt? whom did you see?

Smajt *lil* Ġanni jaqra, I heard John read

Għandi *lil* missieri d-dar, I've got my father at home.

WORD-LIST

béda, íbda, to begin; **xi ħáġa,** something (things)

qára, áqra, to read

wára x-xogħol tad-dar, after the housework

ġurnál (m.), ġurnáli, newspaper/s

tgħídlek, she tells you

x'inhú jíġri, what is happening; **ġára, jíġri,** to happen

xi kélma diffíċli, some difficult word

u hekk it-tnejn flimkíen jaqráw, and so the two of them read

78

artíkli twál, long articles; artíklu (m.)

x'aħbarijíet għándna llum? what news have we today?

il-bíeraħ ġraw ħáfna disgrázzji, yesterday many accidents took place.

sajjétta láqtet ħaddíem, lightning struck a workman

sajjétta, sajjétti, (f.), lightning.

láqat, ólqot, to strike, to hit.

ħaddíem (m.), ħaddíema, workman, workmen

li kien qed jíbni dar, who was building a house

béna, íbni, to build; bíni (m.), building

u ħarqítu, and burnt him; ħáraq, áħraq, to burn

li kien qed jíġri fuq il-bejt, who was running on the roof

ġéra, íġri, to run

wáqa' mill-bejt għal ísfel, he fell down from the roof.

karózza mxiet, to walk, here, to move, to run (cars).

dáħlet f'ħánut, it went into a shop.

u qátlet mára, and killed a woman; qátlet, óqtol, to kill

kemm disgrázzji qegħdín jíġru Málta, what a lot of accidents happen in
Malta (lit. how many accidents)

véru, it's true, yes.

l-arlóġġ tal-knísja daqq nofs in-nhar, the church clock struck midday.

inséjtu, I've forgotten it

télqet tíġri lejn il-kċína, she ran off to the kitchen.

kabóċċa (f.), kabóċċi, cabbage/s

li kíenet imlíet bil-láħam, which she had stuffed with meat

jaħásra l-kabóċċa, poor cabbage

kéllha tármi kóllox, she had to throw it all away; réma, ármi, to throw
away.

malájr, quick! ímla bórma óħra bl-ílma għall-bródu, fill another pot
with water for the broth.

méla, ímla, to fill; bródu (m.), broth

áqli l-láħam, fry the meat; qéla, áqli, to fry; għalína, for us

íxwi l-ħut, grill the fish; xéwa, íxwi, to grill

ísa, quick, hurry up, be quick; ġa, already

kemm swéwlha flus dawk l-imberkín aħbarijíet ta' Málta, what a lot
of money this blessed Maltese news has cost her!

taf lil min rajt dal-għódu? do you know whom I've met (seen) this
morning?

lil min? who?; staqsiétu, she asked him.

lil Maríja, I met Marija; notice the personal 'lil'

sellíet ħafna għalík, she sends you her best regards

biex tíbqa' táqra, to keep on reading

ħálli titgħállem il-Malti, so that you can learn Maltese.
ħálli, biex, sabiéx, so that, in order to
tgħállem, jitgħállem, to learn

TAĦRIĠ (Exercises)

(1.) **Wieġeb dawn il-mistoqsijiet:** (Answer these questions)

1. X'tagħmel is-Sinjura Johnson fil-għodu? 2. Tifhem kollox? 3. X'tagħmel is-seftura? 4. X'jagħmlu t-tnejn flimkien? 5. Xi qrat is-Sinjura fil-ġurnal? 6. X'għamlet sajjetta? 7. Xi ġralu tifel li kien qed jiġri fuq il-bejt? 8. X'għamlet karozza? 9. X'ħin daqq l-arloġġ tal-knisja? 10. X'kienet insiet is-Sinjura Johnson? 11. X'kellha fuq in-nar? 12. X'kellha tagħmel bil-kaboċċa? 13. Lil min ra s-Sur Johnson il-Belt? 14. X'qaltilha tagħmel Marija lis-Sinjura Johnson?

(2.) **Imla l-vojt:** (Fill in the blanks)

Ex. Is-Sinjura Johnson issa bdiet .... (qara) bil-Malti. (*taqra*)

1. Is-Sur Johnson beda .... (kiteb) ittra; 2. It-tfal bdew ....
(lagħab, ilgħab, to play) fil-ġnien: 3. L-għalliem sa jibda ....
(qara) fil-klassi; 4. Tereża kellha .... (rema) l-kaboċċa; 5. Is-Sinjur Johnson kellu .... (mar) il-Belt; 6. Għandi .... (kiteb)
ittra; 7. Raġel waqa' mill-bejt meta kien qed .... (bena) dar; 8.
.... (mela, imperative) borma oħra bl-ilma; 9. .... (xewa,
imper.) l-ħut għas-Sinjur; 10. .... (qela, imp.) l-laħam għalina.

(3.) **Aqleb għall-Malti** (Translate into Maltese)

Every morning Mrs. Johnson opens the paper and reads in Maltese.
She doesn't understand everything, but she can tell you what's
happening in Malta. Her maid helps her (tgħinha) with some difficult
word and together they read long articles. "Tereż, what's the news
today?" asked the lady. "Bad news!" answered the maid. "Read this,"
she continued (kompliet), "lightning struck a workman who was
building a house and burnt him. A car killed a woman. A boy fell
down from the roof and died (miet)." At that moment the church
clock struck midday. "Good heavens! The lunch. I've forgotten it,"
said the lady. Poor thing, she had to throw it all away. When her
husband came back from Valletta, he told her that he had met (seen)
Marija, the doctor's wife.

IT-TLETTAX-IL LEZZJONI
(The Thirteenth Lesson)

IL-KATIDRAL TA' SAN ĠWANN

Is-Sinjuri Johnson ilhom tliet snin Malta u ilhom sentejn jistudjaw il-Malti. Kemm ilhom hawn, żaru ħafna postijiet storiċi u knejjes antiki f'Malta u Għawdex. Għamlu ħbieb ma' ħafna Maltin u issa draw id-drawwiet u l-klima tagħna. Kull fil-għodu s-Sur Johnson iqum fid-disgħa u jdum xi nofs siegħa fil-kamra tas-sodda jaqra l-ġurnal.

Imma llum qam kmieni għax ried iżur il-Katidral ta' San Ġwann. Din kienet it-tielet darba li mar f'din il-knisja sabiħa. Is-Sinjura Johnson qamet miegħu u t-tnejn flimkien telqu lejn il-Belt Valletta.

Fil-knisja sabu ħafna turisti Ingliżi u Ġermaniżi. Wieħed raġel Malti kien qed jgħidilhom xi ħaġa fuq il-pittura ta' Caravaggio. Xi ġmiel ta' pittura! Oħrajn kienu qed iżuru l-monumenti tal-Grammastri tal-Ordni, li hemm mal-ħajt tal-knisja.

Ħafna mill-Kavalieri mietu fl-Assedju l-Kbir tal-1565. Fil-pittura tas-saqaf hemm il-ħajja kollha ta' San Ġwann, il-Qaddis tal-Ordni tal-Kavalieri.

F'ħajtu San Ġwann ried isum għal ħafna jiem meta kien qed jgħix fid-deżert.

Is-Sur Johnson dam siegħa sħiħa jżur il-pitturi l-oħra tal-knisja fejn jidhru l-għasafar itiru fis-sema, il-ħut jgħum fil-baħar, il-morda jfiqu mill-mard ikrah tagħhom, Ġesù Kristu jgħin lill-foqra, omm tbus it-tarbija tagħha u n-nies iġibu fil-kaxex ħafna tjur biex ibigħuhom fit-tempju.

Wara li daru l-knisja kollha, is-Sinjuri Johnson niżlu fil-kripta, taħt l-art, fejn hemm il-qabar ta' Jean Parisot de la Valette, il-famuż Grammastru tal-Assedju l-Kbir. Dan il-Grammastru baqa' fl-istorja ta' Malta, l-aktar fl-isem, Valletta, tal-belt kapitali ta' Malta.

GRAMMAR

1. **Weak Verbs** (continued) (See Lessons 9 & 12)

    (A) **Verbs with initial weak consonant**
    Verbs with a weak consonant (usually a *W*) in the beginning drop this consonant in the Imperative and Present Tense. The following verbs, *wiżen*, iżen, to weigh, *wiret*, iret, to inherit, *waqa'*, aqa', to fall, and *weħel*, eħel, to be stuck, are conjugated like *wasal*, asal, to arrive (see Lesson 9 section 1, A).
    The verb *waqaf*, ieqaf, to stop, intr. has the following conjugation:-

Past

waqaft	I stopped	waqafna	we stopped
waqaft	you stopped	waqaftu	you stopped
waqaf	he stopped	waqfu	they stopped
waqfet	she stopped		

Imperative

ieqaf	stop (sing.)	ieqfu	stop (pl.)

Present

nieqaf	I stop	nieqfu	we stop
tieqaf	you stop	tieqfu	you stop
jieqaf	he stops	jieqfu	they stop
tieqaf	she stops		

(B) Verbs with middle weak consonant: Hollow Verbs

Verbs with a weak consonant (*W* or *J*) in the middle, drop this consonant and join the two adjacent vowels into one long vowel *â* or *ie* in the verb stem, e.g. tajar becomes *TAR*, to fly.

N.B. For the conjugation of the verb *tar*, see Lesson 9 sec. B.

The following verbs are conjugated like *tar.*- *sab*, sib, to find, *ġab* (*ġieb*), ġib, to bring, *sar*, sir, to become, to become ripe, *għan*, għin, to help, *għax*, għix, to live, dwell, *għar*, għir, to envy, *ried*, rid, to wish, *żied*, żid, to add, to increase, *fieq*, fiq, to recover health, *biegħ*, bigħ, to sell.

Notice that the vowel of the imperative and present of the above verbs is *i*, e.g. tir, fly, ntir, I fly.

There is another group of verbs which have *u* in the imperative and present, e.g. *bies*, to kiss, imp. bus, present nbus. The verbs *miet*, mut, to die, and *dieb*, dub, to melt intr., belong to this group.

Another group of verbs take *o* in the past tense, e.g.

Past

somt	I fasted	somna	we fasted
somt	you fasted	somtu	you fasted
sam	he fasted	samu	they fasted
samet	she fasted		

Imperative

sum	fast (sing.)	sumu,	fast (pl.)

Present

nsum	I fast	nsumu	we fast
ssum (for tsum)	you fast	ssumu (for tsumu)	you fast

82

isum/jsum	he fasts	isumu/jsumu	they fast
ssum (tsum)	she fasts		

The following verbs have the same conjugation as above:- *dar*, dur, to turn, to go about, *dam*, dum, to last, to take long, *daq*, duq, to taste, *qam*, qum, to get up, rise, *żar*, żur, to visit, *għam*, għum, to swim, *kien*, kun, to be.

2. Expressions of Time

The particle *il* + attached pronouns means *ago*.
ili, ilek, ilu, ilha, ilna, ilkom and *ilhom*.
Their usage:
Ilu tliet snin li telaq. He left 3 years ago. It's 3 years since he left.
Kemm *ilek* Malta? How long have you been in Malta?
Ili ħames snin, I've been here for five years.
Is-Sinjuri Johnson *ilhom* tliet snin Malta. Mr. & Mrs. Johnson have been in Malta for 3 years.
Ilhom sentejn jistudjaw il-Malti. They've been studying Maltese for 2 years.
Meta ġew Malta? When did they come to Malta?
Ilu tliet snin. Three years ago, (lit, it's 3 years since they came).

N.B. The above particles may also mean *for a long time*, see Lesson 9. e.g. Issa, ili (żmien twil) nieħu paċenzja bik! I've been patient with you for a long time now! (understood are the words żmien twil, long time).

3. The Dual Number

In Maltese, besides the singular and plural number, we also have the *dual*, which is restricted to very few nouns, mostly parts of the body, and a few other nouns of time and weight, e.g.

singular	dual
siegħa, hour	sagħtejn, 2 hours
jum, day	jumejn, 2 days
ġimgħa, week	ġimagħtejn, 2 weeks
xahar, month	xahrejn, 2 months
sena, year	sentejn, 2 years
għajn, eye	għajnejn, 2 eyes
id, hand	idejn, 2 hands
widna, ear	widnejn, 2 ears
seba' finger	subgħajn, 2 fingers
sieq, leg	saqajn, 2 legs
ratal, rotolo	ratlejn, 2 rotolos

83

Note that the dual ends in *ejn* or *ajn*.
When the pronouns are attached to the daul, the final 'n' is left out,
e.g.

idejn, two hands; *idejja*, my (2) hands, *idejk*, your (2) hands, *idejh*, his
hands, *idejha*, her hands, *idejna*, our hands, *idejkom*, your hands,
idejhom, their hands.
Note that *idi* means 'my (one) hand' and *idejja*, my (two) hands.
e.g. Waqa' u kiser *idu*, he fell and broke his (one) hand, but waqa' u
kiser *idejh*, he fell and broke his (two) hands.

5. **Loan Verbs**
   Most non-Arabic Maltese verbs have been borrowed from Italian and
   English. These verbs are conjugated like verbs with a final weak
   consonant (like, nesa, insa, to forget, qara, aqra, to read). See Lesson
   9 Section 1 C and Lesson 12 Section 1.

Past

studjajt	I studied	studjajna	we studied
studjajt	you studied	studjajtu	you studied
studja	he studied	studjaw	they studied
studjat	she studied		

Imperative

| studja | study (sing.) | studjaw, study (pl.) |

Present

nistudja	I study	nistudjaw	we study
tistudja	you study	tistudjaw	you study
jistudja	he studies	jistudjaw	they study
tistudja	she studies		

WORD-LIST

ílhom tliet snin Málta, they've been in Malta for 3 years
ílhom sentéjn jistudjáw il-Málti, they've been studying Maltese for 2
   years
kemm ílhom hawn, since they've been here
żáru, they visited; **żar, żur**, to visit
post (m.), **postijíet**, place/s
stóriku, stórika, stóriċi, historical
knéjjes antíki, old churches; **antík/a/i**, old
għámlu ħbieb ma', they made friends with
draw, they got used to; **déra, ídra**, to get used to
dráwwa (f.), **drawwíet**, custom/s, habit/s
klíma (f.)/**i**, climate; **jdum**, stays

84

iqúm, he gets up; qam, qum, to get up
għax ried iżúr, because he wanted to visit
katidrál (m.)/i, cathedral/s
ta' San Ġwann, of Saint John
t-tíelet darba, the third time
li mar, that he went; mar, mur, to go
qámet, she got up (from qam); míegħu, with him
sábu, they found, sab, sib, to find
kien qed igħidílhom, he was telling them
xi ħaġa, something
pittúra, (f.) pittúri, painting/s
xi ġmiel ta' pittúra! what a beautiful painting!
oħrájn kíenu qed iżúru, other people were looking at (visiting)
monumént (m.)/i, monument/s
il-Grammástru, Grammástri, the Grand Master/s
ta' l-Ordni (m.), of the Order;
li hemm mal-ħajt tal-knísja, which are on the church walls.
ħáfna mill-Kavalieri, many of the Knights; Kavalíer/i, Knight/s
míetu, they died; miet, mut, to die
l-Assédju l-Kbir, the Great Siege; assédju (m.), assédji, siege/s
tal-1565, tal-elf ħámes míja u ħámsa u sittín; elf, one thousand
ħájja (f.), ħajjíet, life, lives
il-Qaddís, qaddisín (m.), the saint/s
f'ħájtu, in his life time
ried isum, he wanted to fast; sam, sum, to fast
għal ħáfna jiem, for many days; jum (m.), jiem, day/s
méta kien igħíx fid-deżért, when he lived in the desert
għex, għix, to live, dwell; deżért (m.), desert
dam síegħa sħíħa jżúr il-pittúri, it took him one long hour to look at
    (visit) the paintings
dam, dum, to last, to take long; sħíħa, sħaħ, whole, here, long
fejn jídhru, where can be seen (ara visible); déher, ídher, to be visible,
    appear
għasfúr (m.), għasáfar, bird/s
itíru, they fly, here, flying; tar, tir, to fly
séma (m. & f.), smewwíet, sky, heaven/s
għam, għum, to swim; jgħum, here, swimming
maríd/a, mórda, sick man, woman, people
fieq, fiq, to recover health; ifíqu, here, recovering, to get cured
mill-mard (m.) from their illness
íkrah, kérha, kóroh, ugly, (here, terrible)

85

għen, għin, to help; igħín, he helps
fóqra, the poor (people)
bies, bus, to kiss, tbus, she kisses, here, kissing
tarbíja, (f.), trábi, baby, babies
ġab, ġib, to bring; iġibu, they bring, here, bringing
káxxa (f.), káxex, box/es
tjur, poultry, game, fowl
biex ibigħúhom, to sell them; biegħ, bigh, to sell
témpju, témpji (m.), temple/s
wára li dáru l-knísja, after they had gone round the church
níżlu fil-krípta, they went down into the crypt
taħt l-art, underground
fejn hemm il-qábar, where there is the tomb; qábar, óqbra (m.),
tomb/s
il-famúż Grammástru, the famous Grandmaster; famúż/a/i, famous
báqa', íbqa', to remain
fl-istórja ta' Málta, in the history of Malta.
l-áktar fl-ísem, especially in the name; ísem (m.), ismijíet, name/s
il-belt kapitáli, the capital city.

TAHRIĠ (Exercises)

(1.) Wieġeb dawn il-mistoqsijiet: (Answer these questions)

1. Kemm ilhom Malta s-Sinjuri Johnson? 2. Kemm ilhom jistudjaw
il-Malti? 3. Fi x'ħin kien iqum filgħodu s-Sur Johnson? 4. Għaliex
darba (once) qam kmieni? 5. Lil min sabu fil-knisja s-Sinjuri Johnson?
6. X'kien qed jagħmel wieħed raġel? 7. X'hemm mal-ħajt tal-
Katidral ta' San Ġwann? 8. X'hemm fil-pittura tas-saqaf tal-knisja?
9. X'ried jagħmel San Ġwann meta kien fid-deżert? 10. Is-Sur
Johnson kemm dam iżur il-pitturi l-oħra? 11. Fejn niżlu s-Sinjuri
Johnson? 12. X'hemm taħt l-art tal-Katidral?

(2.) Imla l-vojt (Fill in the blanks)

1. Kull filgħodu s-Sur Johnson .... (qam pres.) fid-disgħa. 2.
Karmena .... (qam pres.) fis-sebgħa. 3. Is-Sinjura Johnson
marret mar-raġel tagħha .... (żar pres.) il-Katidral. 4. Irrid
.... (żar pres.) Għawdex. 5. Trid .... (qara pres.) l-ġurnal
illum? 6. Tridu .... (żar pres.) id-dar tiegħi? 7. Ħafna Kavalieri
.... (miet, past) fl-Assedju l-Kbir. 8. San Ġwann ried ....
(sam, pres.) fid-deżert. 9. Is-Sinjuri Johnson .... (niżel, past) fil-
kripta.

(3.) **Aqleb għall-Malti:** (Translate into Maltese)

Mr & Mrs Johnson have been in Malta for 3 years. Yesterday they got up early and went to Valletta to visit St. John's Cathedral. When they got there the church was full of (mimlija) tourists. A Maltese guide (gwida) was talking (jitkellem) about Caravaggio, the painter (pittur) of the famous painting 'The Beheading of St. John' (qtugħ ir-ras ta' San Ġwann). What a beautiful painting! The church is full of paintings and monuments of Knights and Grandmasters. The painting on the ceiling shows (turi) the life of St. John. After going round (daru) the church, the Johnsons went down to the crypt, where they saw the tomb of Jean Parisot de la Valette, the famous Grandmaster of the Great Siege of 1565.

L-ERBATAX-IL LEZZJONI

(The Fourteenth Lesson)

IL-KARNIVAL F'MALTA

Fir-Randan ħafna Maltin kienu jsumu; xi wħud minnhom anke ħobż u ilma. Imma qabel ma jsumu jagħmlu tlett ijiem Karnival. Il-Ħadd, it-Tnejn u t-Tlieta qabel l-Erbgħa ta' l-Irmied, wara nofs in-nhar, Malta kollha tidħol il-Belt Valletta biex tara l-karrijiet, iż-żfin u l-kostumi sbieħ tal-Karnival.

Il-Ħadd, ir-Re tal-Karnival jiftaħ il-purċissjoni twila tal-karrijiet. Bil-qiegħda fuq tron kbir, kuruna tad-deheb fuq rasu, daqna bajda, libsa ħamra, ħafna tfajliet sbieħ madwaru, ferħan u daħkan għax beda l-Karnival.

Fit-triq in-nies, kbar u żgħar, jidħku u jaqbżu mar-Re tal-Karnival. Imbagħad tibda purċissjoni twila ta' karrijiet, wieħed ikbar u isbaħ mill-ieħor; ħafna uċuħ twal u koroh, baned u karrozzini bin-nies lebsin tal-Karnival fihom.

Min jilbes ta' raħħal b'xi fenek f'idu, min jilbes t'avukat bit-tomna fuq rasu, min ta' Cowboy fuq xi żiemel abjad. Tara nies lebsin ta' kollox; tara l-itwal u l-iqsar raġel, l-irqaq u l-eħxen mara, l-isbaħ u l-ikrah wiċċ.

It-Tnejn, fil-pjazza ta' wara l-bieb tal-Belt, isir iż-żfin bil-kostumi quddiem in-nies bil-qiegħda madwar il-pjazza; kostumi sbieħ u jqumu ħafna flus, u żfin isbaħ minnhom. In-nies kollha jgħidu xi ħaġa. Min jgħid: "Dan il-kostum isbaħ minn dak."

Min jgħid: "Le, dan inqas sabiħ minn dak."

Din il-mara tgħid: "Dak l-isbaħ wieħed."

Dan ir-raġel jgħid: "Le, dak sabiħ daqs dan."

Insomma, wara kollox, kollha sbieħ. Diffiċli tagħżel. Min jiġi l-ewwel fil-kostum jew fiż-żfin jieħu premju sabiħ. Imma hemm ħafna premjijiet, u kemm il-kbar u kemm iż-żgħar jieħdu pjaċir bihom.

It-Tlieta, l-aħħar jum tal-Karnival, isir minn kollox; karrijiet fit-toroq u żfin fil-pjazza.

Kulħadd irid jidħak l-aħħar daħka, jiżfen l-aħħar żifna. Meta jidlam in-nies bil-mod il-mod imorru lejn djarhom, imma ż-żgħażagħ jibqgħu barra jiġru u jaqbżu wara r-Re tal-Karnival. Il-kbar imorru jorqdu għax l-għada jibda r-Randan u s-sawm.

GRAMMAR

1. Adjectives

Adjectives, like nouns and verbs, may be grouped into classes or patterns. We have already come across many of these patterns in the previous lessons, such as:-

(a) *qadim* (old, ancient), *ħażin* (bad), *marid* (sick, ill), *sabiħ* (pretty, beautiful, handsome), *qasir* (short), *nadif* (clean, tidy), *ħafif* (light, easy), *ħanin* (merciful), *għażiż* (dear).

(b) *fqir* (poor), *kbir* (big), *tqil* (heavy, difficult); *twil* (long, tall); *żgħir* (small), *sħiħ* (sound, whole); *rqiq* (slim), *smin* (fat), *rħis* (cheap).

(c) *abjad, bajda, bojod* (white), *aħmar, ħamra, ħomor* (red), *aħdar, ħadra, ħodor* (green), *isfar, safra, sofor* (yellow), *iswed, sewda, suwed* (black), *ikħal, kaħla, koħol* (blue), *ismar, samra, somor* (brown).

(d) There are many other such adjectival patterns, such as:- *ferħan* (happy), *daħkan* (smiling), *għarqan* (perspiring), *xewqan* (desirous).

(e) Like *tajjeb* (good) we have *mejjet* (dead) and *sajjem* (fasting).

N.B. These patterns are not to be memorized. They should only serve as a visual aid to the foreigner learning Maltese, a language full of patterns.

2. Comparison of Adjectives

(a) The usual pattern of the comparative is $vCCvC$, thus, that of *twil* (long) is *itwal* (longer), *fqir* (poor) is *ifqar* (poorer), *kbir* (big) is *ikbar* (bigger), *tqil* (heavy) is *itqal* (heavier), *żgħir* (small) is *iżgħar* (smaller), *sħiħ* (sound) is *isħaħ* (sounder), *rqiq* (slim) is *irqaq* (slimmer), *smin* (fat) is *ismen* (fatter), *rħis* (cheap) is *irħas* (cheaper), *qadim* (old) is *eqdem* (older), *ħażin* (bad) is *eħżen* (worse), *sabiħ* (nice) is *isbaħ* (nicer), *ħafif* (light) is *eħfef* (lighter), *għażiż* (dear) is *egħżeż* (dearer), *tajjeb* (good) is *itjeb* (better).

(b) Adjectives beginning with a vowel and those of foreign origin form their comparative by placing *aktar* or *iżjed* (more) before the adjective, thus: *aħmar* (red), *aktar* or *iżjed aħmar* (redder), *diffiċli* (difficult), *aktar* or *iżjed diffiċli* (more difficult), *interessanti* (interesting), *aktar* or *iżjed interessanti* (more interesting). There are exceptions, e.g. *oħxon*, fat, *eħxen*, fatter.

Colloquially, this kind of comparative is very often preferred to the $vCCvC$ pattern. Thus we may say: *ifqar* or *aktar/iżjed fqir*, poorer, *eqdem* or *aktar/iżjed qadim*, older, more ancient.

(c) **Examples of Comparative Sentences:**

(i) Dan ir-raġel *twil daqs* dak, this man is *as tall as* that one.

(ii) Dan ir-raġel *itwal minn* dak, this man is *taller than* that one. Il-Malti *aktar/iżjed diffiċli mill*-Franċiż, Maltese is more difficult than French.

(iii) Dan ir-raġel *inqas twil minn* dak, this man is *less tall than* that one.

(iv) Dan ir-raġel *mhux twil daqs* dak, this man is *not as tall as* that one.

N.B. The final *nn* of *minn* (than) match with the definite article, e.g. *minn il*-Franċiż becomes *mill-Franċiż*.
minn it-tifla becomes *mit-tifla*.

3. **Superlative of Adjectives**

The superlative is formed by the definite article *il-* and the comparative, e.g.

l-itwal, the tallest, the longest
l-aktar/l-iżjed diffiċli, the most difficult

Examples:-

l-aktar/l-iżjed tifel *bravu* fil-klassi, the cleverest boy in the class.
Dan it-tifel hu *l-itwal* fost ħbiebu, this boy is the tallest of his friends.

N.B. Instead of *fost* (among) in the above example, we may use *minn*.
l-anqas intelligenti, the least intelligent.

4. The word *uħud/wħud* is the plural of wieħed, waħda (one), and means *some*; *xi wħud minnhom*, some of them.

5. The material of which something is composed is expressed by the preposition *ta'*, of, e.g.

siġġu ta' l-injam, a wooden chair; kuruna tad-deheb, a golden crown; bieb tal-ħadid, an iron gate; flixkun tal-ħġieġ (żġieġ), a glass bottle; kappell tat-tiben, a straw hat; pupa tal-karti, a paper doll.

N.B. Notice the difference between: flixkun inbid, a bottle of wine, and flixkun tal-inbid, a wine bottle; kikkra tè, a cup of tea, and kikkra tat-tè, a tea cup, tazza ilma, a glass of water, and tazza tal-ilma, a water glass, kaxxa ċikkulata, a box of chocolates, and kaxxa taċ-ċikkulata, a chocolate box.

WORD-LIST

Randán (m.), Lent
kíenu jsúmu, used to fast
xi wħúd mínnhom, some of them

90

ánke, ukoll, also, even, as well, too

sam ħobż u ílma, (lit. to fast on bread and water); he ate only bread and drank only water.

qábel ma jsúmu, before they fast

l-Érbgħa ta' l-Irmíed, Ash Wednesday; irmíed (m.), ash

wára nofs in-nhar, in the afternoon

Málta kóllha, the whole island of Malta, all the people of Malta

biex tára, to see, pres. of ra, to see

kárru (m.), karrijíet, cart/s, Carnival float/s

żfin (m.), żífna, żifníet, dance

kostúm, (m.)/i, Carnival costume/s

il-Ħadd, Sunday

ir-Re tal-Karnivál, the Carnival King,, re, rejíet, king/s

purċissjóni/jíet, procession/s, here, Carnival defilé

bil-qíegħda, sitting

tron (m.)ijíet, throne/s

kurúna (f.), kurúni, crown/s

déheb (m.), dehbijíet, gold

tad-déheb, golden.

dáqna (f.), beard; dáqna bájda, with a white beard

tfájla, tfajlíet, young girl/s

madwáru, around him; madwári, around me, madwárek, around you, etc.

ferħán/a/in, happy

daħkán/a/in, laughing; from dáħak, to laugh.

għax béda l-Karnivál, because Carnival has started

imbágħad, then

íkbar, bigger, comp. of kbir; ísbaħ, more beautiful, comp. of sabíħ

mill-íeħor, than the other; wiċċ (m.), uċuh, face/s

ħáfna uċúħ twal u kóroh, many tall and ugly faces.

bánda (f.), báned, village band/s

karrozzín/i, Maltese cab/s

lebsín tal-Karnivál, in fancy dress; pres. participle of libes (to dress), líebes, líebsa, lebsín

fíhom, in them

min jílbes ta' raħħál, some dress up as villagers; raħħál/a, villager/s

b'xi fének f'ídu, with a rabbit in his hand.

min jílbes t'avukát, some dress up as lawyers

tómna (f.), top hat

lebsín ta' kóllox, dressed up in all kinds of fancy dress.

tára l-ítwal u l-íqsar rágel, you (one) can see the tallest and shortest man.

91

l-írqaq u l-éħxen mára, the slimmest and fattest woman
l-ísbaħ u l-íkrah wiċċ, the prettiest and ugliest face
pjázza, (f), pjázez, square/s
wára l-Bieb tal-Belt, behind City Gate
isír iż-żfin, dancing takes place, there will be dancing
quddíem, in front of, before
jqúmu ħáfna flus, they cost a lot of money; qam, iqúm, here, to cost
żfin ísbaħ mínnhom, the dancing is more beautiful than they (costumes)
    are
min jgħíd; some (people) say; min ... min, some ... others
dan ínqas sabíħ minn dak, this one is less beautiful than that one.
dak l-ísbaħ wieħed, that's the most beautiful
dak sabíħ daqs dan, that one is as beautiful as this one
insómma, anyway, anyhow
wara kóllox, after all; kóllha sbieħ, they are all nice
diffíċli tágħżel, it's difficult to choose, (lit. difficult, you choose)
għáżel, ágħżel, to choose
min jíġi l-éwwel, whoever comes first, takes first prize
jieħu premju sabíħ, gets a nice prize; jieħu, from ħa, to take, to get, to
    receive
premju (m.), premjijiet, prize/s.
kemm ... kemm, both ... and
jieħdu pjaċír (m.), from ħa pjaċír, to have a good time, to take pleasure
jieħdu pjaċír bíhom, they like them, enjoy them, (lit. they take pleasure
    with/in them)
l-áħħar jum, the last day
isír minn kóllox, karrijíet fit-tóroq u żfin fil-pjázza, there will be
    everything; the defilé of floats in the streets, as well as dancing on the
    square.
kulħádd iríd jídħak l-áħħar dáħka, everyone would like to have the last
    laugh; notice here the cognate object in jidħak daħka (lit, to laugh the
    laugh), as in the English phrase: die the death.
iríd jiżfen l-áħħar żífna, here again we have a cognate object in 'jiżfen
    żifna'. Cognate objects are common in Maltese.
méta jídlam, when it gets dark; from dálam, to get dark
bil-mod il-mod, gradually, slowly
żagħżúgħ/a, żgħáżagħ, youth/s, a young man/woman/men/women
jíbqgħu bárra, they remain (stay) outside; from baqa', to remain
jíġru u jáqbżu, from géra, to run, and qábeż, to jump
wára, after
imórru jórqdu, they go to sleep; from mar, to go, and ráqad, to sleep

għax l-għáda, because the next day; jíbda, from béda, to begin sawm (m.), fasting, from sam, to fast.

TAHRIĠ (Exercises)

(1.) Wieġeb dawn il-mistoqsijiet: (Answer these questions)

1. X'kienu jagħmlu ħafna Maltin fir-Randan? 2. X'jagħmlu qabel ma jsumu? 3. Meta hu l-Karnival f'Malta? 4. Min jiftaħ il-purċissjoni tal-karrijiet? 5. X'għandu fuq rasu r-Re tal-Karnival? 6. X'tara fit-toroq tal-Belt? 7. U fil-pjazza ta' wara l-bieb tal-Belt? 8. Sbieħ il-kostumi tal-Karnival? 9. X'jgħidu n-nies meta jaraw il-karrijiet, iż-żfin u kostumi? 10. Faċli jew diffiċli tagħżel min hu l-isbaħ? 11. X'jieħu min jiġi l-ewwel? 12. X'isir it-Tlieta, l-aħħar jum tal-Karnival?

(2.) (a) Agħmel il-komparativ ta': (Give the comparative of:)

1. Dan ir-raġel .... (twil) minn dak. 2. Din il-mara .... (rqiq) minn dik. 3. Din it-tfajla .... (sabiħ) minn dik. 4. Dan it-tifel .... (żgħir) minn dak. 5. Dan il-ktieb .... (tqil) minn dak.

(b) Agħmel is-superlativ ta': (Give the superlative of:)

1. .... tifel intelliġenti. 2. Din it-tifla hi .... (twil) fost sħabha (her friends). 3. Dan il-ktieb hu .... (tqil) fost il-kotba kollha. 4. Il-laħam hu .... (tajjeb) ikel. 5. Dan il-kastell (castle) hu .... (qadim) bini tal-belt. 6. Din it-tfajla hi .... (sabiħ) fost it-tfajliet kollha.

(3.) Aqleb għall-Malti: (Translate into Maltese)

Carnival in Malta comes three days before Ash Wednesday, when Lent begins. People from all over the Island (Gżira) go to Valletta to watch (see) the beautiful floats which (li) pass (jgħaddu) through (minn) the streets of the City. The Carnival King opens the defilé on Sunday. The square behind City Gate is decorated (imżejna) with flags (bandieri), and the people sitting around the square watch the dancing of young boys and girls dressed up in very nice fancy dress (kostumi). It's difficult to choose the most beautiful dress, the best (l-aħjar) float and the best dance. They are all nice. Whoever wins (jirbaħ) gets a nice prize. Everybody wants to win but only a few get the prize. On Tuesday evening, when it gets dark, the adults go back home to sleep because the next day Lent begins, and .... fasting!

93

IL-ĦMISTAX-IL LEZZJONI

(The Fifteenth Lesson)

L-GĦID IT-TAJJEB

Kif igħaddi l-Karnival jibda r-Randan li jdum erbgħin jum. F'dan iż-żmien min jitlob u min isum. L-Erbgħa ta' l-Irmied, il-qassis, wara li jgħid il-quddiesa, jitfa' ftit irmied fuq ras in-nies. Ġimgħa qabel il-Ġimgħa l-Kbira jsiru purċissjonijiet bil-vara tad-Duluri fil-bliet u l-irħula Maltin kollha. Dak in-nhar kemm iż-żgħar kif ukoll il-kbar jimxu u jitolbu wara d-Duluri, xi wħud minnhom ħafjin. Il-Belt tant ikun hemm nies li bilkemm wieħed isib fejn joqgħod bil-wieqfa.

Fil-Ġimgħa l-Kbira jkun hemm purċissjoni bil-vari li juru l-passjoni ta' Kristu. L-ewwel vara hi dik ta' Kristu jitlob taħt is-siġra taż-Żebbuġ. Wara din il-vara jimxu ħafna tfal li jkollhom salib żgħir ta' l-injam f'idejhom. Imbagħad il-vara ta' Kristu jaqa' fl-art u fl-aħħar dik ta' Kristu jmut fuq is-salib. Billi jkun hemm ħafna vari u ħafna nies li jieħdu sehem, il-purċissjoni issa timxi, issa tieqaf, issa teħel hawn, issa teħel hemm. F'kelma waħda aktar tieqaf milli timxi, u ddum ħafna sakemm terġa' tidħol fil-knisja. Iżda għalkemm il-purċissjoni ddum ħafna, hi sabiħa bil-banda u l-kant wara l-aħħar vara.

Wara x-xitwa tiġi r-rebbiegħa; wara l-biki jiġi l-ferħ. Fl-aħħar jasal l-Għid il-Kbir, l-ikbar festa tal-Knisja. Kulħadd ferħan għax Kristu qam mill-mewt u tela' s-sema. Aħna wkoll, wara l-mewt, inqumu miegħu u nirtu l-ġenna għal dejjem.

Aktar ferħanin mill-kbar huma t-tfal bil-bajd u l-figolli tal-Għid.

Barra, in-natura ferħana wkoll; il-fjuri tar-rebbiegħa fetħu ħomor nar u l-għasafar itiru fis-smewwiet.

Kulħadd jieqaf u jgħid: "L-Għid it-Tajjeb." "Lilek ukoll."

GRAMMAR

1. Conjunctions and Pronouns

Conjunctions are used to join words or groups of words together, and as such are very useful in a language. We have already seen some common conjunctions, such as:- *u*, and; *imma, iżda*, but; *jew*, or; *meta*, when; *qabel ma*, before, etc. In this lesson we are going to see some more, and also how to use them, thus:-

billi, since, as; billi kont mgħaġġel kelli nitlaq kmieni, since I was in a hurry I had to leave early

94

waqt li, kif, xħin, as; waqt li/kif/xħin qalet hekk, ħarset lejja, as she said (was saying) that, she looked at me

kif, xħin, as soon as; kif/xħin rani dawwar wiċċu, as soon as he saw me he turned his face

meta, when; jistudja meta għandu ħin, he studies when he has time

qabel ma, before; ħadt il-kafè qabel ma ħriġt, I took my coffee before I went out

wara li, after; wara li kilna morna passiġġata, after eating we went out for a walk

għalkemm, although; għalkemm għadu żgħir, jaf idoqq il-pjanu tajjeb ħafna, although he is still young he can play the piano very well

jekk, if; immur il-belt fit-tmienja jekk inqum fil-ħin, I shall go to the city at 8 o'clock if I get up in time

li kieku, if (supposition); li kieku kelli nkun sinjur kont nixtri dar kbira, if I were rich I would buy a big house

li kieku, if (contrary to known facts); li kieku m'għamlitx xita l-bieraħ kont immur Għawdex, if it had not rained (had it not rained) yesterday I would have gone to Gozo

għax, għaliex, because, as; ma ġejtx il-bieraħ għax/għaliex għamlet ix-xita, I didn't come yesterday because it rained

aktar milli, rather than; jilgħab aktar milli jistudja, he plays rather than studies

tant ... li, so ... that, l-għalliem tant ġie kmieni li l-istudenti ma kenux fil-klassi, the teacher arrived so early that the students were not in the class-room

jew ... jew, either ... or; jew tidħol jew toħroġ, you either come in or go out

la ... anqas, neither ... nor; la naf/ma nafx u lanqas irrid naf, I don't know, neither do I want to know

jekk ... (jew), whether; ma nafx jekk ikunx hawn (jew le); I don't know whether he will be here (or not)

flok, minflok, instead of; (min) flok tiknes il-kamra kienet tiknes il-bejt, instead of sweeping the room, she would sweep the roof

minn mindu, since (since the time); minn mindu ħalla l-iskola għadu ma sabx xogħol, since he left school he has not had a job

il- + pron., since, for; ili sentejn li rajtu, it is two years since I've seen him.

biex, so that (in order that); agħtini/tini lapes biex nikteb ittra, give me a pencil so that I can write a letter

għalhekk, so that (with the result that); ix-xita waqfet u għalhekk stajna noħorġu, it stopped raining, so that we could go out.

95

bilkemm, scarcely; bilkemm beda jitkellem meta waqa' u miet, scarcely had he begun to talk when he fell down and died

issa ... issa, now ... now; issa x-xita, issa x-xemx; now it rains, now it's sunny.

aktar ma ... aktar, the more ... the more; àktar m'għandu, aktar irid, the more he has, the more he wants

mhux biss... iżda wkoll; not only ... but also; mhux biss hi sabiħa, iżda sinjura wkoll, she's not only pretty but rich as well

kemm ... kif ukoll, both ... and; sabu kemm faħam kif ukoll ħadid, they found both coal and iron

jekk ma, unless; jekk ma tistudjax, ma tgħaddix mill-eżami, unless you study (if you don't study) you won't pass the exam

sakemm, until, till; nimxu bil-mod sakemm naslu, let's walk slowly till we arrive (get there)

li, that; qal li r-re miet, he said that the king died

PRONOUNS

li, who, that, which, whom; il-mara li inti rajt hi ommi, the woman (whom) you saw is my mother; il-mara li qed tkanta hi oħti, the woman who is singing is my sister

min, whoever, min jgħid hekk, jgħid ħażin, whoever says that is wrong (those who say that)

min ... min, some ... others; min ġie bil-mixi, min bil-karozza, some came on foot, others by car

2. **Construct State**

The possessive case between two nouns can be expressed without the help of the preposition ta' (of), e.g. *dar is-sultan*, the sultan's house. This is called in semitic languages, the Construct State. Notice that the first word *dar* does not take the definite article *il-* (*id-*) because it is automatically defined by the second noun *sultan* which originally ended in *i* (sultan*i* = of the sultan). Thus we can either say '*dar is-sultan*' or '*id-dar tas-sultan*'. The phrase *ras in-nies* (people's head), which is found in this lesson, is also in the construct state.

3. **Absolute Superlative**

In Maltese there are two superlatives: the relative, a comparison of more than two things or persons, as in English, (see Lesson 14 Section 3) and the absolute, which has no corresponding form in English, and which we must translate by *very* or *exceedingly*, thus:- *aħmar nar*, (lit, as red as fire), bright/brilliant red, scarlet; kappell aħmar nar, a scarlet hat

96

abjad silġ, (as white as snow)
iswed faħam, (as black as coal)
aħdar ħaxix, (as green as grass)
Notice that in Maltese this kind of superlative is expressed by an
adjective or colour followed by a noun.

WORD-LIST

kif jgħáddi l-Karnivál, as soon as Carnival is over
għádda, għáddi, to pass; **għádda mill-eżámi,** he passed his exam.
  għádda minn quddíem id-dar tágħna, he passed our house
béda, íbda, to begin
li jdúm erbgħín jum, which lasts 40 days; **dam, dum,** to last
min jítlob, min isúm, some pray, others fast; **tálab, ítlob,** to pray
qassís (m.)/ín, priest/s
wára li jgħíd il-quddíesa, after saying Mass, after Mass,
quddíes (coll.)/a, quddisíet, Mass/es; **qal il-quddíesa,** to say Mass.
téfa, ítfa', to throw, to sprinkle, to cast, to pour; **jítfa' ftit irmíed fuq ras
  in-nies,** he sprinkles some ashes on people's heads; **ras in-nies** is in
  a construct state.
ġimgħa qábel, a week before
il-Ġimgħa l-Kbíra, Good Friday, (lit. the big Friday)
vára (f.), vári, statue/s.
tad-Dulúri, of our Lady of Sorrows
ráħal (m.), irħúla, village/s
dak in-nhar, on that day
kemm ... kif ukóll, both ... and
méxa, ímxi, to walk
wára, after, behind
xi wħud mínnhom, some of them
ħáfi, ħáfja, ħafjín, barefoot
il-belt, in the city (here, Valletta), (lit. the city)
tant ikún hemm nies, there are so many people
li bilkémm, that scarcely, hardly (lit. one scarcely finds where to stand).
wíeħed isíb fejn jóqgħod bil-wíeqfa, it's difficult to find anywhere to
  stand.
bil-wíeqfa, standing; **bil-qíegħda,** sitting
li júru, which represent, representing, (lit. which show)
wéra, úri, to show
il-passjóni ta' Krístu, the passion of Christ
taħt is-síġra taż-żebbúġ, under the olive tree
żébbuġ (coll.), żebbúġa, żebbuġíet, olive/s

97

salíb (m.), sláleb, cross/es; salíb ta' l-injám, a wooden cross
f'idéjhom, in their hands; id (f.) hand, idéjn (dual) lit. 2 hands
Krístu jáqa' fl-art, Christ falling to the ground; wáqa', áqa' to fall
Krístu jmút fuq is-salíb, Christ dying on the cross
bílli jkún hemm ħáfna nies, since there are many people
li jíeħdu séhem, who take part; séhem, part, ħa séhem, to take part
íssa ... íssa, now ... now; íssa tímxi, íssa tíeqaf, now it moves on, now it
    stops; wáqaf, íeqaf, to stop (intr.)
íssa téħel hawn, íssa téħel hemm, now it gets stuck here, now there,
    wéħel, éħel, to get stuck, caught.
áktar ... mílli, rather than; áktar tíeqaf mílli tímxi, it drags itself along;
    moves along with great difficulty; (lit. it stops rather than moves
    along)
ddum ħáfna sakémm térga' tídħol fil-knísja, it takes a long time till it
    gets back to church; sakémm, till, until,
réġa, érga', to do something over again; réġa' kíteb l-íttra, he wrote the
    letter again; réġa' dáħal, to go in again
íżda, ímma, but
għalkémm, although
ddum ħáfna, it takes a long time
bánda (f.), báned, village band (bánda tar-ráħal)
kant (m.), singing; kánta, imp. kánta, to sing; kanzunétta, a song
ix-xítwa (f.), xtíewi, winter/s
ir-rebbíegħa (f.), rebbigħát, spring/s
wára x-xítwa tíġi r-rebbíegħa, after winter comes spring
bíki (m.), weeping; from béka, íbki, to cry, to weep
ferħ (m.), joy, happiness; from féraħ, ífraħ, to rejoice, to be happy
jásal (from wásal, ásal, to arrive) present masc. sing.
l-Għid il-Kbir, Easter; għid (m.), feast, (lit. the big feast); 'għid' (feast)
    from Arabic and 'festa' (also, feast) from Italian
l-íkbar fésta tal-Knísja, the greatest feast of the Church
għax, because
Krístu qam mill-mewt, Christ rose from the dead
téla s-séma, he went up to heaven; téla, ítla', to go up
séma' (f.), smewwíet, heaven/s, (lit. sky)
mewt (f.), imwíet, death/s
inqúmu míegħu, we shall rise with him
nírtu l-ġénna, we shall inherit heaven; from, wíret, íret, to inherit
ġénna (f.), heaven;
għal déjjem, for ever; dejjem, always
áktar ferħanín mill-kbar, happier than the adults

98

bajd (m. coll.), bájda, bajdíet, egg/s

figólla, figólli, the Maltese figolla is made of dough and marzipan in various colourful figures, such as: men, women, rabbits, doves, horses, hearts and baskets. They are the Maltese Easter sweetmeat and go back over the centuries before the introduction of the Easter Egg which only came to Malta with the British. The word 'figolla' comes from 'figura', figure.

figólli tal-Għid, Easter figollas

bárra, outside

il-fjúri tar-rebbíegħa fétħu ħómor nar, bright red Spring flowers open up, blossom; ħómor nar is an absolute superlative.

ħómor nar, (as red as fire), bright/brilliant red, scarlet

fjúra (f.) fjúri, flower/s

għasfúr (m.), għasáfar, bird/s

itíru, flying; from: tar, tir, to fly

fis-smewwíet, in the skies

kulħádd jíeqaf u jgħíd, everyone stops and says.

l-Għid it-Tájjeb, Happy Easter, (lit. good Easter)

lílek ukóll, the same to you

TAĦRIĠ (Exercises)

(1.) **Wieġeb dawn il-mistoqsijiet:** (Answer these questions)

1. Meta jibda r-Randan? 2. Kemm-il jum idum ir-Randan? 3. X'jagħmlu n-nies fir-Randan? 4. X'jagħmel il-qassis fl-Erbgħa ta' l-Irmied? 5. X'isir fil-bliet u l-irħula Maltin fil-ġimgħa tad-Duluri? 6. X'ikun hemm il-Belt fil-Ġimgħa l-Kbira? 7. X'juru l-vari tal-Ġimgħa l-Kbira? 8. Iddum ħafna l-purċissjoni sakemm terġa' tidħol fil-knisja? 9. X'jiġi wara x-xitwa? 10. X'jiġi wara r-Randan? 11. X'għamel Kristu fl-Għid il-Kbir? 12. Għaliex huma ferħanin it-tfal fl-Għid? 13. X'jgħidu n-nies lil xulxin fl-Għid?

(2.) **Ikteb sentenzi żgħar b'dawn il-kliem:** (Write short sentences with the following words)

kif, as soon as; *min ... min*, some ... others; *qabel ma*, before; *wara li*, after; *bilkemm*, scarcely; *billi*, since; *issa ... issa*, now ... now; *għalkemm*, although; *jekk*, if; *li kieku*, if (supposition); *li kieku*, if (contrary to known facts).

(3.) **Ikteb sentenzi żgħar b'dawn il-verbi:** (Write short sentences with the following verbs)

beda, ibda, to begin; *talab, itlob*, to pray, beg; *qal, għid*, to say; *sam, sum*, to fast; *tefa', itfa'*, to throw; *mexa, imxi*, to walk; *daħal, idħol*,

99

to enter; *qam*, *qum*, to get up, to rise.

(4.) **Aqleb għall-Malti:** (Translate into Maltese)

Lent is the time of fasting and prayer. On Àsh Wednesday the priest sprinkles some ashes on people's heads. A week before Good Friday there is a procession with the statue of our Lady of Sorrows in most towns and villages of Malta, and many people take part. On Good Friday there is a pageant (purċissjoni) in Valletta with many statues representing the passion of Christ. The pageant takes a long time to pass (biex tgħaddi) through the streets of Valletta. Finally there is a village band, as well as a choir (kor) singing (ikanta) various religious hymns (innijiet reliġjużi). Lent comes to an end (jagħlaq) on Easter Sunday, the greatest feast of the Church. On that day Christ rose from the dead. Everybody is happy especially (l-aktar) the children with their Easter Eggs and Figollas. "Happy Easter". "The same to you," say the people as they leave (kif joħorġu) the church.

IS-SITTAX-IL LEZZJONI

(The Sixteenth Lesson)

ĦELES MILL-MEWT

Kulħadd kien iħobbu 'l Fra Ċelest.

Kien raġel ibigħ is-saħħa, ftit qasir imma ħafif daqs gidi.

Fuq kollox kellu qalbu f'idu, issa jgħin bidwi jħott il-karettun, issa jġorr xkora qamħ lil dan, issa jżomm ras ta' ħmar lil dak.

Meta tasal il-festa tar-raħal ħadd ma kien jiġbor flus għaliha daqsu. Minn x'ħin idoqq il-qanpiena għall-aħħar quddiesa sa nżul ix-xemx kien jiġri mar-raħal kollu bil-ħorġa fuq dahru jiġbor għall-festa.

"Xi ħaġa għall-festa," kien jgħid Fra Ċelest bit-tbissima fuq fommu u jmidd idu għall-flus.

Kulħadd kien jagħtih xi ħaġa għax kulħadd kien iħobbu.

Imma darba waħda, wieħed ħalliel feġġ minn wara ħajt biex jisraqlu l-ħorġa bil-flus.

Kellu xkubetta f'idu u malli wasal ħdejn il-Fra, waqaf u meddħa quddiemu.

"Fra Ċelest," qallu, "jekk tagħtini dak li għandek fil-ħorġa ħbieb aħna, inkella ...."

Fra Ċelest ħass demmu jagħli imma ma tilifx is-sabar.

"Kull m'għandi kollu tiegħek jekk tagħmel dak li ngħidlek jien," qallu.

"Ara, jien nagħmel il-ħorġa fuq il-ħajt u int iġbed fuqha," żied Fra Ċelest.

"Għalfejn?" staqsieh il-ħalliel.

"Għax b'hekk il-Gwardjan ma jaħsibx ħażin fija. Issa fhimt għalfejn?" wieġbu Fra Ċelest.

"Fhimt Fra. Għandek raġun. Dendel il-ħorġa Fra," u rafa' l-ixkubetta.

Pam, pam, pam ... u l-ħorġa saret trab.

Fra Ċelest kien pront qabdu minn dirgħajh, rassu miegħu u daqqlu tnejn fuq rasu kif jaf hu.

Il-ħalliel waqa' għal mejjet fl-art.

Fra Ċelest ġabar il-flus u l-ixkubetta mill-art.

"Saħħa, Ġuż," qallu u telaq lejn il-kunvent.

Meta wasal il-kunvent sab is-sagristan fil-bieb.

"Fra," qallu Fra Ċelest, "agħmel din l-ixkubetta quddiem l-istatwa ta' San Franġisk. Din wegħda ta' wieħed raġel talli ħeles mill-mewt."

adapted from E.B. Vella

101

GRAMMAR

1. Doubled Verbs

This lesson is mainly on Doubled Verbs, namely, verbs with an identical second and third radical consonant. In the verb stem the second vowel is dropped, thus: ħabab becomes ĦABB, to love. These verbs have the following conjugation:-

Past

ħabbejt	I loved	ħabbejna	we loved
ħabbejt	you loved	ħabbejtu	you loved
ħabb	he loved	ħabbew	they loved
ħabbet	she loved		

Imperative

ħobb, love (sing.)   ħobbu, love (pl.)

Present

(i)nħobb	I love	(i)nħobbu	we love
tħobb	you love	tħobbu	you love
iħobb/jħobb	he loves	iħobbu/jħobbu	they love
tħobb	she loves		

The following is a list of the most important doubled verbs:-

ħass, ħoss, to feel	rass, ross, to press, grab, clasp
ħabb, ħobb, to love	għadd, għodd, to count
radd, rodd, to give back	ġarr, ġorr, to carry
ħatt, ħott, to unload	żamm, żomm, to hold, to keep
mess, miss, to touch	ħall, ħoll, to loosen
bexx, bixx, to sprinkle	xamm, xomm, to smell
senn, sinn, to whet, sharpen	temm, temm, to finish (tran.)
leqq, leqq, to glitter	medd, midd, to stretch, hold out

daqq, doqq, to ring a bell, to play an instrument, to beat
feġġ, fiġġ, to appear (from nowhere)

N.B. 'radd is-salib' means 'to make the sign of the cross'

2. Verbal Nouns

Nouns derived from verbs are called Verbal Nouns, thus:-
mewt, death, from miet, to die
talb, prayers, from talab, to pray
xorb, drinking, from xorob, to drink
dħul, entrance, from daħal, to enter
ħruġ, exit, from ħareġ, to go out
nżul, descent, setting, from niżel, to go down; nżul ix-xemx, sunset

102

tlugĥ, ascent, rising, from tela', to go up, tlugĥ ix-xemx, sunrise
ikel, food, from kiel, to eat
ĥasil, washing, from ĥasel, to wash
daqq, music, ringing (of bells), from daqq, to ring (a bell)

WORD-LIST

Fra Ċelést; Fra, a catholic lay-brother who lives in a convent but is not an ordained priest; he doesn't say Mass.

kulĥádd kien iĥóbbu 'l Fra Ċelést, everybody liked Fra Ċelest

kien iĥóbb, liked, loved, used to like, used to love

'l (short for 'lil', see Lesson 12 grammar Section 3)

rágel ibígĥ is-sáĥĥa, a robust (very strong) man

biegĥ, bigĥ, to sell; sáĥĥa, health, strength; the expression 'ibigĥ is-sahĥa' means 'healthy, robust, strong, (lit. a person who sells strength)

ĥafíf daqs gídi, as light as a feather, as air, (lit. as a kid)

ĥafíf/a, ĥfief, light

gídi (m.), gidjíen, kid/s, a young goat

fuq kóllox, above all, especially

kéllu qálbu f'ídu, kind-hearted, (lit. he had his heart in his hand)

gĥen, gĥin, to help;

ĥatt, ĥott, to unload (doubled verb)

karettún (m.)/i, cart/s

jgĥín bídwi jĥótt il-karettún, he would help a farmer unload his cart.

ġarr, ġorr, to carry

xkóra, xkéjjer, a sack; xkóra patáta, a sack of potatoes

qamĥ (m.), qmuĥ, wheat; lil dan (ir-rágel), for this man.

(jgĥin) iġórr xkóra qamĥ lil dan, he helps this man (someone) carry a sack of wheat (on his back)

żamm, żomm, to hold (fast)

iżómm ras ta' ĥmar lil dak, he holds a donkey's rein (lit. head) for another person (lit. for that man)

méta tásal il-fésta tar-ráĥal, when the village feast approaches, draws near

ĥadd ma kien jígbor flus gĥalíĥa dáqsu, no one else raised (collected) as much money for it as he did

ġábar, íġbor, to collect, to pick up, to gather, to raise money

minn x'ĥin idóqq il-qanpíena gĥall-áĥĥar quddíesa sa nżul ix-xemx, from the time he rang the bell for the last Mass till sunset; daqq, doqq, to ring a bell

qanpíena (f.), qníepen, bell/s

quddíes (coll.)/a, **quddisíet**, Mass/es;

għall-áħħar quddíesa, for the last Mass

nżul (m.), verbal noun, from **nízel**, to go down; **nżul ix-xemx**, sunset, (lit. the setting of the sun), **nżul ix-xemx** (construct state, see Lesson 15 Section 2.)

kien jíġri mar-ráħal kóllu jíġbor għall-fésta, he hurried through the whole village raising (collecting) money for the village feast; (lit. he ran through)

bil-ħórġa fuq dáhru, with his bag on his back; **ħórġa**, a bag for food or alms carried by beggars; **ħórġa** (archaic)

dáhar (m.), back; **dáhru**, his back

xi ħáġa għall-fésta, can't you spare something for the feast? (lit. something for the feast)

kien jgħíd Fra Ċelést bit-tbíssima fuq fómmu, Fra Ċelest would say with a smile on his face (lit. on his mouth)

tbissíma (f.), a smile, from **'tbíssem'**, to smile

fomm (m.), mouth (not much used today; the word **ħalq** is used instead)

u jmídd ídu għall-flús, and would hold out his hand for the money

medd, midd, to stretch forth, extend, hold out

dárba wáħda, one time, on one occasion, (also: once upon a time)

hallíel (m.)/a, **ħallelín**, thief, thieves

feġġ, fiġġ, to appear, to come forth

minn wára ħajt, from behind a wall, (here, **ħajt tas-sejjíeħ**, a rubble wall, the low rubble walls enclosing our small Maltese fields)

biex jisráqlu l-ħórġa bil-flus, to steal his bag with the money in it

xkubétta (f.), **xkubétti**, shotgun; **f'ídu**, in his hand

málli wásal ħdejn il-Fra, as soon as he got near Fra Ċelest

séraq, ísraq, to steal

méddha quddíemu, he pointed it at him (lit. he held it out in front of him)

jekk tagħtíni dak li għándek fil-ħórġa, if you give me the money you've got in your bag, (lit. what you've got)

ħbieb aħna, we can settle it peacefully, (lit. we're friends)

inkélla, otherwise...

ħass démmu jágħli, he was in a rage, (lit. he felt his blood boiling)

ħass, ħoss, to feel (doubled verb)

demm (m.), blood, **démmu**, his blood

għála, ágħli, to boil

ímma ma tilífx is-sábar, but he didn't lose patience

tílef, ítlef, to lose; **sábar** (m.), patience

kull m'għándi kóllu tíegħek, whatever I've got is yours

jekk tágħmel dak li ngħídlek jien, if you do what I tell you

ára, look, look here

jien nágħmel il-ħórġa fuq il-ħájt, I'll put (hang) my bag on the wall

u int íġbed fúqha, and you fire at (shoot at) it (lit. pull the trigger), **ġíbed, íġbed,** to pull (here, pull the trigger)

żied, żid, to add, (here, to continue);

għalféjn? why?

għax b'hekk il-Gwardján ma jaħsíbx ħażín fíja, for in this way (by so doing) Father Superior will not think I'm lying, (think ill of me)

fhimt għalféjn? do you understand why?

għándek raġún, you're right; **raġún** (m.) reason, right

déndel il-ħórġa, Fra. hang up your bag, Brother.

u ráfa' l-ixkubétta, and he lifted up his gun, he aimed at it

ráfa', érfa', to raise, to lift up

pam, pam, bang, bang

il-ħórġa sáret trab, the bag was reduced to (lit. became) powder

trab (m.), dust, powder

kien pront qábdu minn dirgħájh, he quickly seized him by the arms

pront, quickly (malajr)

qábad, áqbad, to catch, to seize

driegħ (f.), arm, **dirgħájn,** both arms, **dirgħájh,** his (both) arms

rássu míegħu, he clasped him tightly in his arms

rass, ross, to press, squeeze, clasp (doubled verb)

u dáqqlu tnejn fuq rásu, and hit him on the head a few times

daqq, doqq, here, to hit, to strike, to knock

tnejn, two, (here, a few times)

kif jaf hu, as he knew how to

wáqa' għal méjjet fl-art, he fell unconscious on the ground

għal méjjet, like a dead man

ġábar, íġbor, to pick up, collect

sab is-sagristán fil-bieb, he found the sacristan at the door

sab, sib, to find

sagristán (m.)/i, sacristan/s

ágħmel din l-ixkubétta quddíem l-istátwa ta' San Franġísk, put this gun in front of the statue of Saint Francis

din (hi) wégħda ta' wieħed rágel, this is an ex voto (an offering made in pursuance of a vow)

wiegħed, wiegħed, to promise, **wegħda,** a vow, here, an ex voto

tálli ħéles mill-mewt, for having escaped death

ħéles, éħles, to free, liberate, to escape

TAHRIĠ (Exercises)

(1.) **Wieġeb dawn il-mistoqsijiet:** (Answer these questions)
1. In-nies kienu jħobbuh lil Fra Ċelest? 2. Xi bniedem kien? (what was he like?) 3. X'kien jagħmel għall-festa tar-raħal? 4. Kienu jagħtuh flus in-nies? 5. Min feġġ minn wara ħajt darba waħda? 6. X'ried minn għand Fra Ċelest? (what did he want from Fra Ċelest?) 7. X'kellu f'idu? 8. X'wieġbu Fra Ċelest? 9. Għalfejn wieġbu hekk Fra Ċelest? 10 Min għamel il-ħorġa fuq il-ħajt? 11. Min ġibed fuqha? 12. Xi ġralha l-ħorġa? (what happened to the bag?) 13. X'għamel Fra Ċelest meta l-ħalliel spara (fired)? 14. Lil min sab Fra Ċelest fil-bieb tal-kunvent? 15. X'qallu lis-sagristan?

(2.) **Imla l-vojt b'dawn il-verbi:** (Fill in the blanks with the following verbs)
1. Ħafna nies kienu .... (ħabb, pres.) 'l Fra Ċelest. 2. Marija .... (ħabb, pres.) lil ommha. 3. Aħna .... (ħabb, pres.) lil Malta. 4. Jien .... (ħabb, press) il-ħut. 5. Tal-ħaxix .... (ħatt, pres.) il-karettun kull filgħodu. 6. Il-bidwi .... (ġarr, pres.) l-ixkejjer (pl. of xkora, sack) tal-ħaxix fuq il-karettun. 7. Fra Ċelest .... (għadd, past, to count) il-flus li ġabar għall-festa. 8. Taf .... (għadd, pres.) minn wieħed sa mija? 9. Iva, naf .... (għadd, pres.) minn wieħed sa mija.

(3.) **Agħti l-passat u l-preżent ta' dawn il-verbi:** (Give the past and present of these verbs)
radd, rodd; *daqq*, doqq; *temm*, temm; *mess*, miss.

(4.) **Aqleb għall-Malti:** (Translate into Maltese)
Everybody loved Fra Ċelest because he was kind-hearted and always helped others (lil oħrajn). He loved the village feast very much and raised more money for it than anybody else. He spent (kien igħaddi) the whole day knocking (iħabbat) on people's doors and asking for money for the big feast. One time, as he was going back (kien sejjer lura) to the convent, a thief appeared from behind a wall and asked (talbu) for the money he had in his bag. Fra Ċelest was in a rage but he didn't lose his patience. "What is mine is yours if you do what I tell you," said Fra Ċelest. "All you have to do is (kull m'għandek tagħmel hu), fire at my money bag which I'm going to hang (sa ndendel) on the wall. Do you agree (trid)?" "Yes, I do (iva rrid)." The thief lifted up his gun and fired. The bag was reduced to powder. Fra Ċelest quickly seized him by the arm and knocked him down (waqqgħu). He picked up his money and went to the convent. He put the gun in front of the statue of St. Francis as an ex voto offering from a person who had escaped death.

IS-SBATAX-IL LEZZJONI

(The Seventeenth Lesson)

MALTA FIL-GWERRA

Il-festa ta' Santa Marija tiġi fil-ħmistax t'Awissu. Hi festa li fiha nfakkru tlugħ il-Madonna fis-sema, kif ukoll dħul il-convoy fil-Port il-Kbir fl-1942. Dak in-nhar wasal Malta l-ikel tant mistenni mill-Maltin li ma kien baqgħalhom xejn x'jieklu. Biex wasal dan l-ikel mietu ħafna nies u għerqu ħafna vapuri u waqgħu ħafna ajruplani. X'setgħu jagħmlu dawk il-vapuri kontra l-attakki mill-ajruplani tal-għadu, li kienu jitilgħu minn Sqallija? Ftit biss minnhom waslu Malta; l-oħrajn kollha għerqu. Il-Maltin bi ħġarhom imlew is-swar tal-bliet ta' madwar il-Port il-Kbir biex jilqgħu lil dawk il-baħrin qalbiena u jagħtuhom merħba kbira. Dak kien żmien ikrah għalina l-Maltin. L-attakki mill-ajru ma kienu jaqtgħu xejn. Ħafna djar u knejjes sbieħ waqgħu u ħafna Maltin mietu.

Ħamsin sena wara bnew Monument tal-Gwerra ħdejn il-Barrakka t'isfel u għall-ftuħ tiegħu ġiet ir-Reġina Eliżabetta t-Tieni, flimkien mar-raġel tagħha, il-Prinċep Filippu, Duka ta' Edinburgh. Il-qanpiena kbira li fih il-Monument iddoqq kull nhar ta' Ħadd biex aħna l-Maltin nibqgħu niftakru f'dawk in-nies li taw ħajjithom għalina.

Festa kbira oħra hi dik tal-Madonna tal-Vitorja, fit-tmienja ta' Settembru, li tfakkarna fir-rebħa tal-Kavalieri u l-Maltin fuq it-Torok fl-Assedju l-Kbir tal-1565. Din il-festa nazzjonali baqgħet issir minn dak iż-żmien sal-ġurnata tal-lum f'ħafna parroċċi f'Malta u Għawdex. Isiru wkoll tlielaq tad-dgħajjes fil-Port il-Kbir, li għalihom imorru ħafna nies. Issir ukoll ċerimonja reliġjuża fil-Katidral ta' San Ġwann mill-Arċisqof ta' Malta, kif ukoll ċerimonji ċivili u militari, li għalihom jattendu l-President u l-Prim Ministru ta' Malta flimkien ma' ħafna persuni għolja Maltin u barranin. Il-festa tal-Vitorja hi l-aħħar festa mill-ħafna festi reliġjużi li jsiru fis-sajf kull nhar ta' Ħadd f'Malta u Għawdex. Min ma jħobbx is-shana kbira tas-sajf jifraħ għax tkun waslet il-ħarifa u ftit xita li tant ikollna bżonn.

GRAMMAR

1. **The GĦ Verbs**

We have already come across in our previous lessons verbs which have the consonant *għ* as one of their radicals, and have dealt with some of them in lessons 5 and 7. In this lesson we shall go into more detail because the consonant *għ*, although it is not considered to be weak, like *W* and *J*, has its peculiarities. These verbs shall be divided into three groups:

(A) Those with initial *għ*, e.g. *għamel*, to do, make
(B) Those with middle *għ*, e.g. *bagħat*, to send
(C) Those with final *għ*, e.g. *seta'*, to be able to

(A) Verbs with initial għ

These verbs retain their 1st vowel in the 1st and 2nd person, singular and plural of the past tense; otherwise they are quite regular.

Past

għamilt	I did, made	għamilna	we did, made
għamilt	you did, made	għamiltu	you did, made
għamel	he did, made	għamlu	they did, made
għamlet	she did, made		

Imperative

agħmel	do, made, (sing.)	agħmlu, do, make, (pl.)	

Present

nagħmel	I do, make	nagħmlu	we do, make
tagħmel	you do, make	tagħmlu	you do, make
jagħmel	he does, makes	jagħmlu	they do, make
tagħmel	she does, makes		

Note: The following verbs are conjugated like *għamel*:-

għalaq, agħlaq, to shut, close; *għaraf*, agħraf, to recognize; *għereq*, egħreq, to drown, sink; *għoġob*, ogħġob, to please; *għażel*, agħżel, to choose; *għemeż*, egħmeż, to wink; *għatas*, agħtas, to sneeze; *għeleb*, egħleb, to vanquish; *għażaq*, agħżaq, to hoe; *għorok*, ogħrok, to rub; *għodos*, ogħdos, to dive.

(B) Verbs with middle għ

The pecularity of these verbs is that in the imperative plural and present plural they insert a *euphonic vowel* in front of the *għ* (see lesson 7 section 1 note 1). Their conjugation is as follows:-

Past

lgħabt	I played	lgħabna	we played
lgħabt	you played	lgħabtu	you played
lagħab	he played	lagħbu	they played
lagħbet	she played		

Imperative

ilgħab	play (sing.)	ilagħbu	play (pl.)

Present

nilgħab	I play	nilagħbu	we play
tilgħab	you play	tilagħbu	you play
jilgħab	he plays	jilagħbu	they play
tilgħab	she plays		

Note: The following verbs are conjugated like *lagħab*:-

qagħad, oqgħod, oqogħdu, to sit; *sogħol*, isgħol, isogħlu, to cough; *magħad*, omgħod, omogħdu, to chew; *bagħat*, ibgħat, ibagħtu, to send; *xegħel*, ixgħel, ixegħlu, to light.

(C) Verbs with final għ

A pecularity of these verbs is that, when they end in għ, this għ is replaced by an apostrophe, e.g. seta' (for setagħ), he was able to; nista' (for nistagħ), I can, etc. Another pecularity is that in the 1st and 2nd person, singular and plural of the past tense, the għ changes into a *j*, e.g. stajt, (for stagħt), I or you could. Their conjugation is as follows:-

Past

stajt, I could, was able to	stajna, we could, were able to
stajt, you could, were able to	stajtu, you could, were able to
seta', he could, was able to	setgħu, they could, were able to
setgħet, she could, was able to	

Imperative (not used)

ista'	istgħu

Present

nista', I can, am able to	nistgħu, we can, are able to
tista', you can, are able to	tistgħu, you can, are able to
jista', he can, is able to	jistgħu, they can, are able to
tista', she can, is able to	

Note: The following verbs are conjugated like *seta'*.

qata', aqta', to cut, to pick; *baqa'*, ibqa', to remain; *tela'*, itla', to go up; *beża'*, ibża', to be afraid; *neża'*, inża', to undress; *refa'*, erfa', to raise; *tefa'*, itfa', to throw; *żara'*, iżra', to sow.

2. **Can you + infinitive?**

The English expression can you + infinitive has two meanings, e.g.
(a) *Can you play soccer?* can mean: Do you know how to play soccer?
This expression is rendered in Maltese by the verb *taf*, to know, *taf tilgħab il-futbol?* (for the conjugation of the verb taf see lesson 9,

section 3 c)

(b) But the same English expression can mean: Are you physically able to play soccer? In this case it is rendered in Maltese by the verb *seta'*.

The two expressions are therefore rendered in this way:-

"Can you swim?" "*Taf* tgħum?"

"Yes, I can, but today I can't (swim) because I'm not feeling well." "Iva, *naf*, iżda llum *ma nistax* (ngħum) għax ma niflaħx."

3. **I've nothing to ...; Have you anything to ...?**

In these expressions the infinitive is rendered by the present tense preceded by *x'*, e.g.

m'għandi xejn x'nagħmel, I've got nothing to do

ma kellhom xejn x'jieklu, they had nothing to eat

għandek x'tiekol? Do you have anything to eat?

N.B. The *x* comes from *xejn* which originally meant something, anything, just as the French word *rien* (from Lat. res/rei, something) originally meant *something*.

4. **Nomen Unitatis**

In this lesson the expressions *tlugħ il-Madonna*, the ascension of our Lady, and *dħul il-convoy*, the arrival (lit. entry) of the convoy, are in a construct state (see lesson 15 section 2). The words *tlugħ*, ascension, and *dħul*, entrance, entry, are verbal nouns (see lesson 16, section 2).

From certain verbal nouns we can form other singular nouns, called **nomen unitatis** because they show their individual form, e.g.

rebaħ, to win, overcome, *rebħ*, winning (verbal noun), *rebħa*, a victory; *ir-rebħa tal-Kavalieri fuq it-Torok*, the victory of the Knights over the Turks.

This singular noun *rebħa* has its plural *rebħiet*, victories. Here are some other examples:-

daħal (verb) to enter, *dħul* (v.n.) entrance, *daħla*, (n.u.) one entrance, *daħliet* (pl.) entrances.

ħareġ, (verb) to go out, *ħruġ*, (v.n.) exit, *ħarġa*, (n.u.), *ħarġiet* (pl.).

tela' (verb) to go up, *tlugħ*, (v.n.) ascension, *telgħa* (n.u.) a hill, *telgħat* (pl.) hills.

WORD-LIST

Il-fésta ta' Sánta Maríja tíġi fil-ħmistáx t'Awíssu, the feast of Saint Mary falls on 15th of August

110

sánt/u (san), sánta, saint; with most masculine nouns we use San, thus: San Pawl, St. Paul; San Píetru, St. Peter; but Sántu Wistín, St. Augustine

hi fésta li fíha nfákkru, it's a feast when (in which) we commemorate fákkar, to remind, to commemorate, celebrate

tlugħ il-Madónna fis-séma, the ascension of our Lady into heaven tlugħ, verbal noun from téla', to rise, to go up; tlugħ il-Madónna (construct state)

kif ukóll, as well as

dħul il-cónvoy, the arrival of the convoy

dħul, (entrance, entry), verbal noun from dáħal, to enter, to go in cónvoy (m.), convoy; dħul il-cónvoy (construct state)

il-Port il-Kbir, the Grand Harbour, (lit, the big harbour)

dak in-nhar, on that day

nhar (m.), jum, ġurnáta, day

tant misténni, so much waited for; misténni/ja/jín, past participle of sténna, to expect, await, wait for

mill-Maltín, by the Maltese; minn, from; also, by

ma kien baqgħálhom xejn x'jíeklu, they had nothing left to eat

báqa', íbqa', to remain, here, be left over

biex wásal dan l-íkel míetu ħáfna nies, many people died to bring over this food, (lit. for this food to get here ....)

għéreq, égħreq, to sink, to drown

wáqa', áqa', to fall down; here, to be shot down

ajruplán/i, (m.), aeroplane/s

séta', to be able to; x'sétgħu jágħmlu? what could they do?

kóntra, against

attákk (m.), attákki, attack/s (here, air-raids)

għádu (m.), għedéwwa, enemy, enemies

li kíenu jitílgħu minn Sqallíja, which took off from Sicily.

téla', ítla', to rise, to go up; here, to take off

ftit biss mínnhom, only a few of them

l-oħrájn, the others (the rest)

il-Maltín bi ħġárhom (ġew), all the Maltese people (came); bi ħġárhom, an expression which means, all of them, almost without exception.

imléw, they packed; from méla, ímla, to fill, to pack

sur (m.), swar, bastion/s, wall/s

ta' madwár, surrounding

láqa', ílqa', to meet, to receive, to catch; here, to welcome

lil dawk il-baħrín qalbíena, those brave soldiers

báħri (m.), baħrín, sailor/s

111

qalbíeni, qalbíena, qalbenín, brave; from qalb, heart. Notice the fem. sing. adj. qalbíena which here is qualifying the plural noun baħrín, something which often happens in Maltese.

mérħba (f.) a welcome

jagħtúhom mérħba kbíra, to give them a warm welcome

l-attákki mill-ájru, air raids; ájru, air, atmosphere, weather

dak kien żmien íkrah għalína, those were hard times for us, (lit. ugly time); here, difficult, hard

ma kíenu jáqtgħu xejn, (the air-raids) gave us no respite (lit. they never stopped)

ħamsín séna wára, 50 years later

bnew monumént tal-gwérra, a war memorial was built, (lit. they built a war memorial). The English passive voice is often rendered by the active voice.

ħdejn, near

il-Barrákka t'Ísfel, the Lower Barrakka. In Valletta there are two Barrakkas, The Upper Barrakka, near Auberge de Castile, and The Lower Barrakka, near St. Elmo; barrakka, hut, shed, (here, garden)

għall-ftuħ tíegħu, for its inauguration (opening); ftuħ, opening, verbal noun from fetaħ, to open

ġiet ir-Reġína Eliżabétta, it-Tíeni, Queen Elizabeth the Second came.

flimkíen ma', together with

prínċep, prinċpijíet, prince/s

dúka (m.), duke

il-qanpíena kbíra li fih il-monumént, the big bell which the monument has (lit. in it)

biex níbqgħu niftákru, lest we forget, (lit. so that we keep on remembering)

báqa', íbqa', to continue

ftákar, to remember, 8th form

li taw ħajjíthom għalína, who gave their lives for us

ħájja (f.), ħajjíet, life, lives

il-Madónna tal-Vitórja, our Lady of Victories

li tfakkárna, which commemorates, (lit. which reminds us), from fákkar, to remind

rébħa (f.), rebħíet, victory, victories, nomen unitatis from rébaħ

fésta nazzjonáli, a national feast

báqgħet issír, has survived (to this present day), (lit. continued to take place)

minn dak iż-żmien, since that day (time)

sal-ġurnáta tal-lum, till this very day, (lit. till the day of today)

112

parróċċa, parróċċi, parish/es
tlíelaq tad-dgħájjes, boat-races, regatta
tellíeqa (f.), tlíelaq, race/s
li għalíhom imórru ħáfna nies, many people attend them, (lit. go to them)
ċerimónja, ċerimónji, ceremony, ceremonies
reliġjúż/a/i, religious
ísqof, isqfijíet, bishop/s; Arċísqof, Archbishop
ċivíli, civil
militári, military
Presidént/i, President
Prim Minístru/Minístri, Prime Minister/s
jatténdu, they attend, from atténda (It. attendere)
persúna, persúni, person/s
għóli, għólja, għoljín, important (persons) (lit. high)
barráni/ja/n, foreigner/s, stranger/s
min, whoever, those who
férah, ífrah, to rejoice
il-ħarífa, autumn
tkun wáslet il-ħarífa, (because) autumn has arrived
u ftit xíta, as well as some rain
li tant ikóllna bżonn, which we need so much

TAĦRIĠ (Exercises)

(1.) **Wieġeb dawn il-mistoqsijiet:** (Answer these questions)

1. Meta tiġi l-Festa ta' Santa Marija? 2. Fiex (of what) tfakkarna din il-festa? 3. Meta wasal il-convoy fil-Port il-Kbir? 4. Kien baqgħalhom ikel il-Maltin fil-gwerra? 5. Minn fejn kienu jitilgħu l-ajruplani ta' l-għadu? 6. Għerqu hafna vapuri u mietu hafna nies f'dan il-convoy? 7. Waqgħu djar f'Malta fil-gwerra? 8. X'ġara hamsin sena wara u min ġie Malta għall-ftuħ tal-Monument tal-Gwerra? 9. Meta tiġi l-Festa tal-Vitorja? 10. Fiex tfakkarna din il-festa? 11. X'isir f'din il-festa? 12. Isiru hafna festi fis-sajf f'Malta? 13. Tagħmel hafna shana fis-sajf f'Malta? 14. Tagħmel xita fis-sajf f'Malta?

(2.) **Imla l-vojt:** (Fill in the blanks)

1. Aħna .... (qara, pres.) il-gazzetta kuljum. 2. Jien .... (qara, past.) il-gazzetta l-bieraħ. 3. .... (għamel, imper.) il-kotba fuq il-medja. 4. Tħobb .... (lagħab, pres.) il-futbol? 5. Marija .... (jaf, pres.) iddoqq il-pjanu, iżda llum ma .... (seta', pres.) iddoqqu għax ma tiflaħx. 6. .... (xegħel, imper.) id-dawl (the light). 7. Tal-ħanut .... (bagħat, past) il-haxix id-dar tas-Sinjura.

113

Johnson. 8. Il-kelb .... (beża', pres.) johroġ barra. 9. Nixtieq .... (tela' pres.) fuq (upstairs).

(3.) **Aqleb għall-Malti:** (Translate into Maltese)

On 15th August, 1942, the famous 'Convoy of St. Mary' arrived at the Grand Harbour. Had it not been (li kieku ma kienx) for that convoy, Malta would have surrendered (kienet iċċedi), because there was no more food left on the island (gżira) at that time. Many sailors and airmen died, many ships were sunk (għerqu) and many planes were shot down (waqgħu). When the convoy entered the Grand Harbour, the Maltese gave these brave men a warm welcome.

50 years later Queen Elizabeth II inaugurated the War Memorial which was built (bnew) near the Lower Barrakka.

On 8th September we celebrate (niċċelebraw) the victory of the Knights over the Turks in 1565. On that day there will be (ikun hemm) a regatta in the Grand Harbour, and many people will watch (to see) it from the bastions surrounding the Harbour. There will also be civil and religious ceremonies in Valletta and in many parishes both in Malta and Gozo. This national feast is the last of the many feasts we have in the summer on these islands (gżejjer).

IT-TMINTAX-IL LEZZJONI

(The Eighteenth Lesson)

MALTA, REPUBBLIKA INDIPENDENTI

Fis-sittax-il lezzjoni ltqajna mal-kelma *randan*, kelma islamika, bħalma hi l-kelma *Alla*, kelmtejn li nsibuhom fid-dinja musulmana Għarbija. Għalkemm aħna l-Maltin aħna nsara, daħħalna ħafna kliem Għarbi fir-reliġjon tagħna, bħalma huma: magħmudija, qrar, tqarbin, emmna, tewba, qaddis, Ruħ il-Qodos u oħrajn; kliem li jinsab fost l-Insara Għarab fil-Lvant Nofsani. Dan il-kliem ifakkarna fil-ħakma Għarbija f'Malta, li bdiet fis-sena 870w.K. L-Għarab xerrdu l-fidi tagħhom fost il-Maltin, li dak iż-żmien kienu nsara. Missirijietna kienu ħaddnu l-fidi nisranija fis-sena 60w.K., meta San Pawl, waqt li kien qiegħed ibaħħar lejn Ruma, inqabad f'tempesta kbira u l-baħar qawwi kisser il-ġifen tiegħu fuq il-blat tagħna. Matul il-ħakma Għarbija l-insara Maltin kienu jħallsu l-ħaraġ, taxxa oħra barra dik li kienu jħallsu l-Musulmani. L-Insara ma kenux ilsiera iżda lanqas ċittadini; kienu qaddejja. L-Għarab daħħlu ħafna siġar f'dawn il-Gżejjer, fosthom, il-qoton, il-larinġ u l-lumi.

Il-ħakma Għarbija ntemmet mal-miġja tan-Normanni fl-1090, iżda ħafna Għarab baqgħu hawn Malta. Fil-mitejn sena li damu hawn, l-Għarab tawna l-ilsien tagħhom, ilsien sabiħ u għani, li għadna nitkellmuh sal-ġurnata tallum. Wara n-Normanni kellna ħafna ħakmiet barranin oħra, fosthom l-Ispanjoli, il-Kavalieri, il-Franċiżi u fl-aħħar l-Ingliżi. Matul dan iż-żmien l-ilsien Għarbi biddilnieh ħafna għax daħħalna fih ħafna kliem Taljan, Sqalli u Ingliż.

Fil-21 ta' Settembru, 1964, Malta saret Repubblika Indipendenti wara mijiet ta' snin ta' kolonjaliżmu barrani. Dan ifisser li issa aħna l-Maltin nistgħu, bħal ħaddieħor, immexxu aħna stess lil pajjiżna. L-indipendenza hi sabiħa iżda tfisser responsabbiltà. Ma tfissirx li nkissru t-tajjeb li tawna nazzjonijiet oħra, iżda li nibnu fuqu u fl-istess ħin nibżgħu għal wirt missirijietna, għad-drawwiet, l-ilsien u l-prinċipji nsara li ħallewlna huma.

GRAMMAR

1. **The Derived Forms**

Most of the verbs we've come across in our previous lessons belong to the *first form*, namely, the *CVCVC* form, like *KITEB* (see lesson 4 sec. 2). This form also includes the *Doubled Verbs*, like *ĦABB* (for ħabab) (see lesson 6), *the GH Verbs*, like *GHAMEL, LAGHAB* and *SETA'* (see lesson 17) and *the Weak Verbs*, such as *WASAL, TAR* (for tajar) and *NESA* (for nesaj) (see lessons 9, 12 and 13). We've seen all these regular 1st form verbs together with the irregular ones (see lesson 9 sec. 3).

From this first or simple form we can derive other verbs, called *derived verbs or forms.* There are *nine* such derived forms, but not every verb has all these forms.

The Second Derived Form

In this lesson we're going to see the second derived form which is obtained from the first by doubling the middle consonant, thus from the 1st form *kiser*, to break, we form *KISSER*, to smash, to break into small pieces. The pattern of the 2nd form is therefore *CVCCVC* and its meaning is that of the 1st form but *more intensified*, e.g. kiser, *kisser* (above); qata', to cut, *qatta'*, to cut in pieces. Sometimes 1st form intransitive verbs are made *transitive*, e.g. daħal, to enter, *daħħal*, to let somebody in, niżel, to go down, *niżżel*, to bring down. Occasionally transitive verbs are made *causative* or *doubly transitive*, e.g. xorob, to drink, xarrab, to soak. 2nd form verbs may also be derived from *nouns* or *adjectives*, e.g. baħħar, to navigate (from baħar, sea); *qassar*, to shorten (from qasir, short).

(a) **2nd form derived verbs have the following conjugation:-**

Past

kissirt	I smashed	kissirna	we smashed
kissirt	you smashed	kissirtu	you smashed
kissser	he smashed	kissru	they smashed
kissret	she smashed		

Imperative

kisser	smash (sing.)	kissru	smash (pl.)

Present

(i)nkisser	I smash	(i)nkissru	we smash
tkisser	you smash	tkissru	you smash
ikisser	he smashes	ikissru	they smash
tkissser	she smashes		

The following verbs are conjugated like KISSER

ħabbat, to knock
niżżel, to bring down
fakkar, to remind

116

xerred, to disperse, to spread, to propagate, to diffuse
ħallas, to pay
baħħar, to navigate
ħaddan, to embrace
daħħal, to let somebody in, to introduce, to import
biddel, to change, exchange
fisser, to explain, to describe, to mean
kellem, to speak to
libbes, to clothe, to dress somebody
daħħak, to amuse, to make somebody laugh
kabbar, to enlarge
raqqad, to put to sleep
sallab, to crucify
xemmex, to put in the sun
ħaddar, to make green
ħammar, to make red
qassar, to shorten
għarraf, to inform
għallem, to teach

(b) **Conjugation of 2nd form verbs with għ as third radical.**

Past

qattajt	I cut in pieces	qattajna	we cut in pieces
qattajt	you cut in pieces	qattajtu	you cut in pieces
qatta'	he cut in pieces	qattgħu	they cut in pieces
qattgħet	she cut in pieces		

Imperative

| qatta' | cut in pieces (sing.) | qattgħu | cut in pieces (pl.) |

Present

nqatta'	I cut in pieces	nqattgħu	we cut in pieces
tqatta'	you cut in pieces	tqattgħu	you cut in pieces
iqatta'	he cuts in pieces	iqattgħu	they cut in pieces
tqatta'	she cuts in pieces		

The following verbs are conjugated like *QATTA'*:-
bażża', to frighten, scare; *waqqa'*, to drop, to throw down; *samma'*, to make somebody hear; *tabba'*, to stain; *ferra'*, to pour.

2. **Mimated Nouns**

Nouns formed by the prefixing of *m* (Arabic *mim*) to the triliteral root are called Mimated Nouns. They express the place where the action of the verb is committed, or the time of that action, or the instrument

117

by which that action is performed, e.g.

Nouns of Place

maħżen, store; mitraħ, mattress; marsa, harbour; mġarr (placename); mkien, place.

Nouns of Time

Milied, birth (Christmas).

Nouns of Instrument

muftieħ, key; miżien, scales; moħriet, plough; musmar, nail; mħadda, pillow; mqass, scissors.

WORD-LIST

ltqájna mal-kélma, we've come across the word; from ltáqa', (VIII form) to meet, come across; kélma, kelmíet, word/s

islámika, Islamic

bħálma hi l-kélma Álla, as the word 'God' also is

kelmtéjn, two words (dual), a couple of words

li nsibúhom, which are found, (lit. which we find; active voice instead of passive); notice the double object

musulmán/a/i, Muslim

dínja Għarbíja, Arab world; Għárbi, Għarbíja, Għárab, Arab/s, Arabic

għalkémm áħna l-Maltín áħna nsára, although we Maltese are Christians, (the second 'aħna' is used instead of the verb 'to be')

nisráni, nisraníja, nsára, Christian/s

daħħálna, we borrowed, (lit. we let in, introduced), from daħħal, to let in, II form

reliġjón (f.), reliġjonijíet, religion/s

bħálma húma, as (these) are

magħmudíja, magħmudijíet, Christening, Baptism

qrar (m.), confession

tqarbín (m.), Holy Communion

émmna (f.), faith, from émmen, to believe, émmen f'Álla, he believed in God

téwba (f.), penance (archaic), it has been replaced by penitenza

qaddís, qaddísa, qaddisín, saint/s

Ruħ il-Qódos, The Holy Spirit, also, Spirtu s-Santu

ruħ (f.), erwíeħ, soul/s, spirit/s

kliem li jinsáb, words which are found, (lit. words which is found, notice that kliem is a coll. noun, and therefore sing.)

nsab or nstab, to be found, VII form of sab, to find

fost, among

il-Lvant Nofsáni, the Middle East, Lvant (m.), East, nofsani, middle

dan il-kliem ifakkárna, these words remind us, (lit. reminds), from fákkar, to remind, II form

fil-ħákma Għarbíja, of (lit. in) the Arab rule

ħákma (f.), ħakmíet, rule, dominion, from ħákem, to rule, govern

li bdiet, which started, began, from béda, íbda, to begin, a weak verb

fis-séna 870w.K., in the year 870 A.D., (w.K. = wára Krístu)

xérrdu, they propagated, diffused, from xérred, to spread out, II form

fídi (f.), faith

missirijíetna, our ancestors, forefathers

kíenu ħáddnu, they had embraced, from ħáddan, to embrace, II form

San Pawl, St Paul

waqt li kien qíegħed ibáħħar lejn Rúma, as he was sailing towards Rome, from baħħar, to sail, to navigate, II form

méta San Pawl inqábad f'tempésta kbíra, when St Paul was caught in a violent storm, from nqábad, to be caught, VII form

tempésta, tempésti, storm/s

il-báħar qáwwi, the rough sea

qáwwi, qawwíja, qawwijín, strong, violent, rough

kísser, to smash, to break in pieces, II form

ġífen (m.), ġfien, boat/s (archaic)

blat (m.), coast, shore (lit. rocks); bláta, a rock, blatíet, rocks; blat is collective

mátul (for ma' tul) il-ħakma Għarbíja, throughout the Arab rule

tul (m.), length, height, from twil, long, tall

kíenu jħállsu l-ħáraġ, they paid (used to pay) the ħaraġ; ħaraġ was a tax imposed on non-Muslims

táxxa (f.), táxxi, tax/es

bárra dik, besides that one

lsir, lsíera, or rsir, rsíera, slave/s

lánqas (ma kíenu) ċittadíni, neither were they citizens

kíenu qaddéjja, they were servants; qaddéj (m.) qaddéjja, servant/s

dáħħlu ħáfna síġar, they introduced (brought) to Malta many trees

qóton (m.), cotton

larínġ (coll.), larínġa, larinġíet, orange/s

lúmi (coll.), lumíja, lumijíet, lemon/s

ntémmet, came to an end, from ntemm, to end, finish, intr. VII form

mal-míġja, with the arrival (lit. with the coming, from ġie, to come) miġja is a mimated noun

Normánn (m.), Normánni, Norman/s

báqgħu hawn, they remained here

mitéjn séna, two hundred years (dual), **míja, mitéjn**

li dámu hawn, during their 200 year stay in Malta (lit. during the 200 years that they stayed here)

l-Għárab táwna l-ilsíen tágħhom, the Arabs gave us their tongue (lang.) **taw**, from **ta**, to give, irr. v.

ilsíen (m.), **ílsna**, tongue/s, language/s

għáni, għánja, għónja, rich

li għádna nitkellmúh sal-ġurnáta tal-lum, which we still speak today (lit. till the day of today)

tkéllem, V form, to speak, to talk

l-ilsíen Għárbi, biddilníeh, we've changed the Arabic language; from **bíddel**, II form, notice the double object

għax daħħálna fih ħáfna kliem Talján..., because we've borrowed many Italian words (lit. we've let in many words)

Sqálli, Sicilian; **Sqallíja**, Sicily

Málta sáret Repubblíka indipendénti, Malta became an independent Republic; **sar**, to become; **repubblika**, republic

wára mijíet ta' snin ta' kolonjalíżmu, after hundreds of years of foreign colonization

dan ifísser, this means, from **físser**, to mean, II form

íssa áħna nistgħu mméxxu áħna stess lil pajjíżna, we can now govern our country ourselves

méxxa, to guide, here: to govern; from **méxxa(j), méxxi**, II form

áħna stess, (lit. we ourselves)

pajjíż (m.), **pajjíżi**, country, countries

indipendénza (f.), independence

responsabbiltá, responsibility

ma tfissírx li nkíssru t-tájjeb, it doesn't mean that we should destroy (lit. smash) the good things

nazzjón (m.), **nazzjonijíet**, nation/s

li níbnu fúqu, we should build on them, (lit. on it)

u fl-istéss ħin, and at the same time

níbżgħu għal wirt missirijíetna, we should cherish (care for) our forefathers' heritage; **wirt** (m.), inheritance, heritage, verbal noun from **wíret, íret**, to inherit, weak verb

dráwwa (f.), **drawwíet**, custom/s, habit/s

prinċípji nsára, christian principles, **prinċípju, prinċípji**

li halléwlna húma, which they've handed over to us; **ħálla(j), ħálli**, to leave, to hand over.

120

TAHRIĠ (Exercises)

(1.) **Wieġeb dawn il-mistoqsijiet:** (Answer these questions)
1. Xi tfisser il-kelma Randan? 2. Fejn niltaqgħu magħhom il-kelmiet Randan u Alla? 3. Hemm kliem Malti li ġej mill-Għarbi? 4. Fiex ifakkarna dan il-kliem? 5. X'reliġjon kellhom il-Maltin meta ġew l-Għarab? 6. Meta ġie San Pawl Malta? 7. X'għamillu l-baħar qawwi lill-ġifen ta' San Pawl? 8. X'kienu jħallsu l-Maltin Insara ma' tul il-ħakma Għarbija? 9. X'kienu l-Insara: ilsiera; ċittadini jew qaddejja? 10. Meta ġew in-Normanni? 11. X'tawna l-Għarab lilna l-Maltin? 12. X'ħakmiet oħra kellna f'Malta wara n-Normanni? 13. Għaliex biddilnieh xi ftit l-ilsien Għarbi? 14. Meta saret Repubblika Malta? 15. Xi tfisser l-Indipendenza? 16. Għal xiex għandna nibżgħu aħna l-Maltin?

(2.) **Ikkonjuga dawn il-verbi fil-passat u fil-preżent:** (Conjugate these verbs in the past and present)
biddel, daħħal, xerred and fisser

(3.) **Imla l-vojt:** (Fill in the blanks)
1. Xi .... (fisser, pres.) din il-kelma? 2. Aħna l-Maltin .... (biddel, past) l-ilsien Għarbi għax .... (daħħal, past) ħafna kliem barrani. 3. L-Għarab .... (ġie, past) Malta fis-sena 870w.K. 4. Il-Maltin .... (sar, past) nsara meta ġie San Pawl. 5. In-Normanni .... (ġie, past) Malta fl-1090. 6. L-Għarab .... (ta, past) lilna l-ilsien tagħhom. 7. Malta .... (sar, past) indipendenti fl-1964.

(4.) **Aqleb għall-Malti:** (Translate into Maltese)
We've borrowed (daħħalna) many Arabic words in our Christian religion. These words remind us of the Arab rule in Malta which started in 870 A.D. At that time the Maltese were Christians. Our forefathers had remained Christians since the time of St. Paul who came to Malta in the year 60 A.D. During the Arab rule some Maltese became Muslims, others remained Christians. These Christians had to pay a special (speċjali) tax, called (imsejħa) 'ħaraġ'. The Arabs introduced to Malta many trees, such as, cotton, oranges, lemons, etc. (eċċ.). They gave us their language, which we still speak today. During the various foreign rules, we borrowed many words from Italian, Sicilian and English, so that (għalhekk) the language we speak (nitkellmu) today is not Arabic but Maltese, although our grammar (il-grammatika) and primitive lexicon (kliem ewlieni) are basically (fis-sisien tagħhom) Arabic. The pronunciation (il-pronunzja) has also changed (tbiddlet) due to foreign influence (minħabba l-influwenza barranija). Malta became independent on 21st September, 1964.

ID-DSATAX-IL LEZZJONI
(The Nineteenth Lesson)

KOLLOX SARLU TRAB

Salvu x-xogħol ma kienx iħobbu għax kien għażżien. Kull filgħodu, wara l-kafé, kien iqiegħed rasu fuq il-mejda tal-kċina u jerġa' jorqod. Iżda lil Rita, il-mara tiegħu, kien iġegħelha taħdem minn x'ħin iqumu sakemm jorqdu. Għalhekk Rita xtaqet li jsiefru biex forsi jinbidel. Hekk għamlu u siefru f'art 'il bogħod ħafna. Iżda Salvu ma nbidilx; baqa' li kien ... għażżien.

"Salv, jekk trid li nsiru sinjuri, trid taħdem inti wkoll, mhux jien biss. Ara, f'dan il-pajjiż fejn ġejna noqogħdu kulħadd sinjur. Għaliex? Għax kulħadd jaħdem u jaħdem ħafna," sikwit kienet tgħidlu l-mara. Rita kienet ambizzjuża u kienet tgħir għal dawk in-nies sinjuri.

"Salv, li kieku konna sinjuri bħal dawn in-nies, konna nixtru dar kbira, konna nixtru karozza sabiħa, konna nsiefru u naraw ħafna pajjiżi, konna...," kienet tgħidlu kważi kuljum.

"Sinjuri nsiru, Rit," kien iweġibha Salvu "imma mhux bix-xogħol. Inwiegħdek li ma ndumux ma jkollna ħafna flus u nixtru villa kbira, u nilbsu u nieklu bħas-sinjuri t'hawn."

Rita kienet tħares lejh, tidħak u żżiegħel bih biex jibda jaħdem.

"Ix-xorti ma ssibhiex fit-triq, Salv," kienet tgħidlu.

"Fejn taf, forsi nsibha, Rit," kien iweġibha Salvu.

Lejla waħda, waqt li Salvu kien miexi, jaħseb fuq il-flus u x-xorti, jara quddiemu mara sabiħa ħafna.

"Salvu, ara, dawn il-flus kollha għalik," qaltlu u wrietu idejha mimlijin flus. "Newwilli l-ixkora li għandek u nimliħielek, iżda rrid infiehmek li dak li jaqa' fl-ixkora jsirlek deheb u dak li jaqa' fl-art isirlek trab. Fhimt?"

"Iva, iva, fhimt," weġibha Salvu li ried itir bil-ferħ.

"Fl-aħħar sibt xortija kif ħsibt jien. Ikun imbierek dan il-pajjiż fejn wieħed jiltaqa' max-xorti fit-triq u jsir sinjur f'qasir żmien u mingħajr ma jaħdem," qal bejnu u bejn ruħu, u fetaħ beraħ l-ixkora kbira li kellu.

Il-mara bdiet timlihielu bil-flus li nbidlu f'deheb. L-ixkora kienet qadima.

"X'nagħmel? Nieqaf?" staqsietu l-mara. "Ftit ieħor," wieġeb Salvu. L-ixkora issa kienet mimlija. "Issa mimlija sa fuq; aħjar nieqaf," reġgħet qaltlu l-mara.

Iżda Salvu moħħu kien fil-flus tad-deheb u mhux fil-kliem tal-mara. "Ftit ieħor, ftit ieħor, jekk jogħġbok," wieġeb Salvu.

122

Il-mara tefgħetlu erba' biċċiet oħra tad-deheb u 'bumm', għamlet l-ixkora.
Id-deheb waqa' kollu fl-art u sar trab.
Il-mara ma deħritx aktar.
Salvu beda jibki bħal tarbija.
Meta wasal id-dar qal lill-mara tiegħu: "Rit, illum sibt xortija fit-triq."
"Iva, Salv? Mela sinjuri aħna bħalma dejjem xtaqt jien," weġbitu Rita.
"Le, Rita, għandek żball; sirna ifqar milli konna qabel," u wrieha l-ixkora
tiegħu maqsuma fi tnejn.

GRAMMAR

1. The Third Form

In this lesson we shall see the third and fourth form. The third form
is obtained by lengthening the first vowel of the first form, thus, from
fehem, to understand (1st form), we obtain *FIEHEM*, to explain, (lit.
to make someone understand). Its pattern is therefore $C\hat{v}CvC$, the 1st
long vowel being an *â* or *ie*. In Maltese the third form is practically
an extension of the second form and has the same meaning.

Conjugation of the Third Form

Past

sifirt	I went abroad	sifirna	we went abroad
sifirt	you went abroad	sifirtu	you went abroad
siefer	he went abroad	siefru	they went abroad
siefret	she went abroad		

Imperative

siefer, go abroad (sing.)   siefru, go abroad (pl.)

Present

(i)nsiefer, I go abroad   (i)nsiefru   we go abroad
(i)ssiefer (for tsiefer),
you go abroad   (i)ssiefru (tsiefru), you go abroad
isiefer/jsiefer, he goes abroad isiefru/jsiefru, they go abroad
(i)ssiefer (for tsiefer), she goes abroad

The following verbs are conjugated like *SIEFER*:-

bierek, to bless	biegħed, to remove afar, take away
ġiegħel, to compel, constrain	tiegħem, to taste
fiehem, to explain	qiegħed, to place, to put
riegħed, to thunder	wieġeb, to answer
żiegħel, to caress	ħâres, to look, to guard
wiegħed, to promise	qârar, to hear confession

Conjugation of a third form verb with middle għ

Past

qegħedt, I put	qegħedna, we put
qegħedt, you put	qegħedtu, you put
qiegħed, he put	qiegħdu, they put
qiegħdet, she put	

Imperative

qiegħed, put (sing.)	qiegħdu, put (pl.)

Present

nqiegħed, I put	nqiegħdu, we put
tqiegħed, you put	tqiegħdu, you put
iqiegħed/jqiegħed, he puts	iqiegħdu/jqiegħdu, they put
tqiegħed, she puts	

Notice that the changes in the first vowel of some persons of the past tense are due to the movement of the accent, e.g. jiena qegħedt (the accent falls on the second *e*, and this causes the *ie* to become short).

Conjugation of a third form verb with final weak consonant

Past

merejt	I contradicted	merejna	we contradicted
merejt	you contradicted	merejtu	you contradicted
miera	he contradicted	merew	they contradicted
meriet	she contradicted		

Imperative

mieri, contradict (sing.)	mieru, contradict (pl.)

Present

(i)mmieri	I contradict	(i)mmieru	we contradict
tmieri	you contradict	tmieru	you contradict
imieri/jmieri	he contradicts	imieru/jmieru	they contradict
tmieri	she contradicts		

2. ### The Fourth Form

Whereas in Arabic verbs of the fourth form are quite common, in Maltese only the verb *WERA*, to show, from the irregular verb ra, to see, is found. Nowadays, even *wera* is considered to be first form, leaving no genuine fourth form verbs.

Conjugation of the verb WERA

Past

wrejt/urejt	I showed	wrejna/urejna	we showed

124

wrejt/urejt	you showed	wrejtu/urejtu	you showed
wera	he showed	wrew/urew	they showed
wriet/uriet	she showed		

Imperative

uri, show (sing.)   uru, show (pl.)

Present

nuri	I show	nuru	we show
turi	you show	turu	you show
juri	he shows	juru	they show
turi	she shows		

WORD-LIST

Sálvu x-xógħol ma kienx iħóbbu, Salvu didn't like work, (notice the double object)

għażżien/a, għażżenín, lazy

wára l-kafé, after breakfast, (lit. after coffee)

kien iqíegħed rásu fuq il-méjda tal-kčína, he used to rest his head on the kitchen table

qíegħed, to rest, to put, to place; III form

u jérġa' jórqod, he would fall asleep again

réġa', érġa', to do a thing again, to repeat

kien iġégħelha táħdem, he would make her (his wife) work

ġiegħel, to compel, to constrain, to force; III form

minn x'ħin iqúmu sakemm jórqdu, from the time they get up till they go to sleep

Rita xtáqet li jsíefru, Rita wanted them (she & her husband) to go abroad.

síefer, to go abroad, III form

biex fórsi jinbídel, so that he might change

fórsi, perhaps, (might)

nbídel, to change, intr. VII form

hekk għámlu, so they did

'il bógħod ħafna, very far away

báqa' li kien, he remained the same (lit. he remained as he was)

jekk trid li nsíru sinjúri, trid táħdem inti wkoll, if you want us to become rich, you've got to work as well

f'dan il-pajjíż fejn ġéjna noqógħdu, in this country where we're living, (lit. where we came to live)

sikwít, often

ambizzjúż/a/i, ambitious

kíenet tgħir għal dawk in-nies sinjúri, she would envy those rich people

125

li kíeku kónna sinjúri, kónna níxtru ..., if we were rich, we would buy ...

kwáżi, almost

sinjúri nsíru, we will become rich (notice that sinjuri comes first, giving it emphasis)

kien iweġíbha, he would answer her

wíeġeb, to answer, III form

ímma mhux bix-xóġhol, but not through work

inwíeġhdek li ma ndumúx ma jkóllna ħáfna flus, I give you my word that we'll soon become rich, (lit. it won't take us long)

wíeġhed, to promise, III form

vílla (f.), vílel, villa/s

bħas-sinjúri t'hawn, like these rich people; **t'hawn,** (lit. of here)

kíenet tħares lejh, she would look at him; **ħáres,** III form

kíenet iżżíeġhel bih biex jíbda jáħdem, she would treat him kindly so that he might work

żíeġhel, to caress, to stroke gently, to pamper; III form

ix-xórti ma ssibħíex fit-triq, you don't just stumble across your fortune (lit. you don't find your fortune in the street)

xórti (f.), fortune

léjla wáħda, one evening

lejl (m.), night, **léjla, lejlíet**, evening/s

waqt li Salvu kien míexi, as Salvu was walking

jáħseb fuq il-flus u x-xórti, thinking about money and his fortune

jára quddíemu, he saw in front of him (in narrations, the present is often used instead of the past)

u wríetu jdéjha mimlijín flus, and showed him her hands full of money

wéra, úri, to show

mímli, mimlíja, mimlijín, past part. of mela, to fill

newwélli l-ixkóra li għándek, give me your sack (lit. hand over)

néwwel, to hand over, II form

u nimlihíelek, and I'll fill it for you

iżda rrid infíehmek, but I want to make it clear to you. (lit. to make you understand)

fíehem, to explain, III form

dak li jáqa' fl-ixkóra, whatever falls in your sack

jsírlek déheb, will turn to gold (for you)

fhimt? do you understand? (lit. have you understood?)

li ried itír bil-ferħ, who wanted to jump for joy, (lit. to fly)

fl-áħħar sibt xortíja kif ħsibt jien, at last I found my fortune the way I wanted (lit. as I thought)

126

ikún imbíerek dan il-pajjíż, may this country be blessed
mbíerek, past part. of **bíerek; mbíerka** (f.), **mberkín** (pl.)
fejn wíeħed jiltáqa' max-xórti, where you can stumble across your
fortune
f'qasír żmien, in a short time
mingħájr ma jáħdem, without having to work
qal béjnu u bejn rúħu, he said to himself (lit. between himself and his
soul)
u fétaħ béraħ l-ixkóra kbíra, and opened his big sack wide open
béraħ, wide open
íssa mimlíja sa fuq, it's now full to the brim
aħjár níeqaf, I'd better stop
réġgħet qaltlu l-mara, the woman told him again
tefgħétlu érba' biċċiet óħra tad-déheb, she dropped in a few more gold
coins for him
bíċċa, biċċíet, piece/s, coin/s
érba', four; here, some, a few
u 'bumm' għámlet l-ixkóra, and 'pop' went the sack
il-mara ma dehrítx áktar, the woman disappeared, was nowhere to be
seen
béda jíbki bħal tárbija, he began to cry like a baby
béka, íbki, to cry
méla sinjúri áħna, then we are rich
bħálma déjjem xtaqt jien, as I've always wanted
le, għándek żball, no, you're wrong
żball (m.) **żbálji,** mistake/s, **għandu żball,** he's wrong
sírna ífqar mílli kónna qábel, we're poorer than we were before
u wríeha l-ixkóra maqsúma fi tnejn, and he showed her his sack split in
two
maqsúm, maqsúma, maqsumín, past. part. of **qasam, aqsam,** to divide,
to split

TAĦRIĠ (Exercises)

(1.) **Wieġeb dawn il-mistoqsijiet:** (Answer these questions)
1. Kien iħobbu Salvu x-xogħol? 2. X'kien jagħmel wara l-kafé? 3.
Martu, Rita, kienet bħalu għażżiena jew tħobb taħdem? 4. Xi xtaqet
tagħmel Rita? 5. Inbidel Salvu wara li siefru? 6. X'kienet tgħidlu
Rita? 7. Għaliex kienet ambizzjuża Rita? 8. X'ra darba waħda Salvu
meta kien miexi fit-triq? 9. X'qaltlu x-xorti? 10. Xi bdiet tagħmel ix-
xorti meta Salvu fetaħ l-ixkora tiegħu? 11. X'qaltlu meta l-ixkora
kienet mimlija? 12. X'ġara meta kompliet (continued) timla l-

127

ixkora? 13. Xi ġralu d-deheb meta waqa' fl-art? 14. X'għamel Salvu meta ra hekk? 15. X'qal lil martu meta wasal id-dar?

(2.) **Ikkonjuga dawn il-verbi fil-passat u l-preżent:** (Cónjugate these verbs in the past and present)
wieġeb; wiegħed; fiehem; ġiegħel.

(3.) **Imla l-vojt:** (Fill in the blanks)
1. Il-Kappillan (the Parish Priest) .... (bierek, past.) id-dar tagħna. 2. Salvu kien .... (ġiegħel, pres.) lil martu taħdem ħafna. 3. Il-pulizija .... (fiehem, past.) lili fejn joqgħod Ġanni. 4. Beda .... (riegħed, pres.) il-bieraħ fil-għaxija. 5. Rita kienet .... (żiegħel, pres.) bir-raġel tagħha biex jibda jaħdem. 6. Salvu .... (wiegħed, past) lil martu ħafna flus. 7. .... (qiegħed, imper.) il-ktieb taħt is-sodda. 8. Rita .... (ħares, past) lejn żewġha.

(4.) **Aqleb għall-Malti:** (Translate into Maltese)
Salvu was a lazy person. He never worked but he made his wife, Rita, work very hard. She was ambìtious and wanted to become rich like her neighbours (ġirien). She would pamper her husband kindly and often told him: "If you want us to become rich, you've got to work as well."

He would laugh and answer: "Don't you worry (tibżax), Rita. One day we will become rich."

One evening, as he was walking and thinking about money, he saw a very beautiful lady dressed in white (liebsa l-abjad).

"Who are you?" asked Salvu.

"Many people call me (isejħuli) Lady Fortune (ix-xorti). I'm very rich and make people rich. Do you want to become rich?"

"Yes, very much so," answered Salvu.

"Give me your sack. Now listen, the coins which fall in it will turn to gold, but those which fall on the ground will become dust. Do you understand?" But Salvu forgot these words and let her fill his old sack to the brim, till it broke (inqasmet) and all his coins became dust. He was now poorer than he was before.

L-GĦOXRIN LEZZJONI

(The Twentieth Lesson)

L-AGĦMA JARA T-TELEVISION

Meta kont tifel żgħir, missieri darba qalli din l-istorja: "Int u dieħel fil-Katidral ta' San Ġwann, il-Belt, hemm wieħed agħma jittallab il-karità. Jgħidu li twieled agħma, iżda ħadd ma jaf sew. Jilbes nuċċali iswed u għandu tabella fuq żaqqu: 'AGĦMA'. Meta jimxi, jitwieżen fuq bastun oħxon, rasu lejn l-art. Kultant jitkellem mal-kelb kbir tiegħu li kuljum joqgħod jixxemmex ħdejh.
'Agħmel karità, Sinjur, ma' wieħed agħma,' tisimgħu jgħid.
Darba waħda wieħed sinjur tefagħlu munita żgħira ta' għaxar ċenteżmi fil-kappell li kellu f'idu. Wara li tbiegħed xi ftit minn ħdejh, is-sinjur reġa' dar lura għax kien nesa xi ħaġa fil-karozza li kellu pparkjata fi Triq Merkanti u mar iġibha. It-tallab agħma ħares lejh u qallu, 'Hawn, Sinjur, din il-munita li għadek kemm tfajtli mhix tajba.'
'Mhix tajba!? ... Għaliex?' wieġbu s-sinjur.
'Għax din mhix Maltija iżda Taljana.'
Is-sinjur ħa l-munita f'idu u wara li flieha sew, wieġeb:
'Tassew, din il-munita mhix Maltija, iżda Taljana. Imma jekk inti tista' tara lili u l-flus tiegħi daqshekk tajjeb, inti m'intix agħma!'
'Le,' wieġeb it-tallab, 'jien m'iniex agħma. L-agħma li jkun hawn kuljum hu ħija. Illum hawn jien floku.'
'U ħuk,' qallu s-sinjur, 'fejn hu llum?'
'Mar jissellef xi ftit flus,' wieġbu t-tallab.
'Jissellef il-flus! ... Għalfejn?'
'Biex jixtri television ġdid għax dak li kellna, waqa' u tkissser biċċiet.'
Is-sinjur kien ħelu ħafna u ma ġġelidx mat-tallab. Tefa' l-munita tiegħu fil-but u telaq jidħak kemm jiflaħ.
'Agħmlu karità ma' wieħed agħma,' reġa' qal it-tallab.
L-għada s-sinjur għadda għal darba oħra minn ħdejn it-tallab u tefagħlu munita oħra ta' għaxar ċenteżmi.
'Dawn l-għaxar ċenteżmi huma Maltin u mhux Taljani. Fhimt?' qallu.
'Iva, Sinjur; grazzi ħafna, Sinjur; il-Bambin ibierkek, Sinjur,' qallu.
Kif missieri kien qiegħed jispiċċa l-istorja, daħlet ommi minn barra. "X'int tgħidlu lit-tifel?" qaltlu, u ħarset lejh bl-ikrah. "Mhux veru!" qaltli. "Dak it-tallab ta' ħdejn San Ġwann twieled agħma." "U iva, ma tafx li qiegħed niċċajta," qalilha missieri. "Din ċajta li qalhieli ħabib tiegħi, li kien qalhielu ħabib tiegħu."

129

GRAMMAR

1. The Fifth Form

The fifth form is obtained by prefixing the letter *t* to the second form, thus: from kisser, to smash, we obtain *TKISSER*, to be smashed. It is usually the *reflexive* or *passive* of the second form, though in some cases it may also indicate *reciprocity*. The prefix t matches with the first consonant of the verb when this is ċ, d, ġ, s, x, ż, or z, e.g. żżewweġ (for tżewweġ), to get married, from II form żewweġ, to marry (anyone to somebody else).

The conjugation of the fifth form is as follows:-

(a) Past

tgħallimt	I learned	tgħallimna	we learned
tgħallimt	you learned	tgħallimtu	you learned
tgħallem	he learned	tgħallmu	they learned
tgħallmet	she learned		

Imperative

tgħallem, learn (sing.)   tgħallmu, learn (pl.)

Present

nitgħallem	I learn	nitgħallmu	we learn
titgħallem	you learn	titgħallmu	you learn
jitgħallem	he learns	jitgħallmu	they learn
titgħallem	she learns		

Notice that the present is formed by prefixing *ni*, *ti*, *ji*, *ti*, to the imperative singular tgħallem, and *ni*, *ti*, *ji*, to the imperative plural tgħallmu.

The following verbs are conjugated like TGĦALLEM

tkisser, to be smashed	ttallab, to beg
tgħammed, to be christened	tbewwes, to kiss one another
tkellem, to talk	tgħallaq, to hang oneself
tkixxef, to spy, to pry	ssellef, to borrow
tgħannaq, to embrace	xxemmex, to bask in the sun
tħammeġ, to get dirty	ċċaħħad, to deny oneself
tkabbar, to be proud	

(b) Conjugation of Fifth Form Verbs which end in għ

Past

tbażżajt, I was frightened	tbażżajna, we were frightened
tbażżajt, you were frightened	tbażżajtu, you were frightened

130

tbażża', he was frightened   tbażżgħu, they were frightened
tbażżgħet, she was frightened

Imperative

tbażża'   tbażżgħu

Present

nitbażża', I'm frightened   nitbażżgħu, we're frightened
titbażża', you're frightened   titbażżgħu, you're frightened
jitbażża', he's frightened   jitbażżgħu, they're frightened
titbażża', she's frightened

(c) **Conjugation of Fifth Form Verbs which end in a 'j'**

Past

trabbejt, I was brought up   trabbejna, we were brought up
trabbejt, you were brought up   trabbejtu, you were brought up
trabba, he was brought up   trabbew, they were brought up
trabbiet, she was brought up

Imperative

trabba   trabbew

Present

nitrabba, I'm brought up   nitrabbew, we're brought up
titrabba, you're brought up   titrabbew, you're brought up
jitrabba, he's brought up   jitrabbew, they're brought up
titrabba, she's brought up

2. **The Sixth Form**

The sixth form is derived from the third form by prefixing the consonant **t** to it, thus, from *bierek*, to bless (III form) we obtain the sixth form *TBIEREK*, to be blessed. It is primarily the reflexive of the third form, but it may also have a passive or reciprocal meaning. The prefix t matches with the first consonant of the verb when this is *ċ, d, ġ, s, x, ż* or *z*, e.g. ġġieled (for tġieled), to quarrel, to fight.

The conjugation of the sixth form is as follows:-

tberikt, I was blessed   tberikna, we were blessed
tberikt, you were blessed   tberiktu, you were blessed
tbierek, he was blessed   tbierku, they were blessed
tbierket, she was blessed

Imperative

tbierek, be blessed (sing.)   tbierku, be blessed (pl.)

131

Present

nitbierek, I'm blessed	nitbierku, we're blessed
titbierek, you're blessed	titbierku, you're blessed
jitbierek, he's blessed	jitbierku, they're blessed
titbierek, she's blessed	

The following verbs are conjugated like the verb TBIEREK.

twieled, to be born	tqâbad, to fight
tqiegħed, to be placed	thâres, to be guarded
triegħed, to tremble	tniehed, to sigh
tbiegħed, to move away	tqâtel, to kill one another
twieżen, to lean	twieġeb, to be answered

WORD-LIST

stórja (f.), stéjjer, story, stories
int u díeħel, as you go in, (see lesson 10 sec. 4 c)
ágħma, għámja, għómja, blind, blind person/people
hemm wíeħed ágħma, there is a blind man
jittállab il-karitá, begging for alms
jittállab, from ttállab, to beg, V form
il-karitá (f.), charity, alms
jgħídu, it is said, they say, one says
li twíeled ágħma, that he was born blind
twíeled, to be born, VI form
iżda ħadd ma jaf sew, but nobody knows for sure
jílbes nuċċáli íswed, he wears black spectacles
nuċċáli (m.) nuċċalijíet, spectacles, glasses, (from It. occhiali)
tabélla (f.), tabélli, placard/s
fuq żáqqu, on his lap, (lit. on his belly)
żaqq (f.), belly
jitwíeżen, he leans, twíeżen, to lean, VI form
fuq bastún oħxón, on a thick stick
bastún (m.), bsáten, stick/s
rásu lejn l-art, with his head lowered, (lit. his head towards the ground)
kultánt, sometimes, every now and then
jitkéllem mal-kelb tíegħu, he talks to his dog
jitkéllem, from tkéllem, to talk, V form
li kuljúm jóqgħod jixxémmex ħdejh, who everyday sits by him in the sunshine
jixxémmex, from xxémmex, to bask in the sun, V form

132

ħdejh, near/by him

ágħmel karitá ma' wieħed ágħma, can't you spare something for a blind man?

għámel karitá, to give alms

tisímgħu jgħid, he's heard saying, (lit. you hear him say)

muníta ta' għáxar ċentéżmi, a 10c. coin

muníta (f.), muníti, coin/s

ċentéżmu (m.), ċentéżmi, cent/s

tefágħlu .... fil-kappéll, he dropped (a 10c. coin) in his hat

téfa', ítfa', to throw, to drop

kappéll (m.), kpíepel, hat/s

wára li tbíegħed xi ftit minn ħdéjh, after he moved (went) a little distance away from him

tbíegħed, to move away, VI form

réġa' dar lúra, he turned back

dar, dur, to turn

lúra, back

réġa', érġa', to do something again, to repeat

għax kien nésa xi ħága, because he had forgotten something

li kéllu pparkjáta fi Triq Merkánti, parked in Merchants' Street, (lit. which he had parked in ...)

pparkját/a/i, parked, past particle of ppárkja, to park

u mar iġíbha, and went to fetch it

ġab, ġib, to bring, to fetch

talláb (m.)/a, beggar/s

hawn, Sinjur, excuse me, Sir. (lit. here, Sir)

li għádek kemm tfájtli, which you've just dropped for me

għádni, għádek, għádu, ... has/have just ...

mħix tájba, it's a forged coin (counterfeit), (lit. not good)

wára li flíeħa sew, after examining it minutely

féla, ífli, to examine minutely

jekk tísta' tára líli u l-muníta tíegħi, if you can see me and my coin.

líli, tára líli, instead of taráni, here 'lili' is used for emphasis.

ínti m'intíx ágħma, you are not blind

l-ágħma li jkun hawn kuljúm hu ħíja, the blind man who is here everyday is my brother

mar jisséllef, he went to borrow

jisséllef, from sséllef, to borrow, V form

biex jíxtri television, to buy a T.V. set

television (m.), televiżjonijíet, television, television set/s

u tkísser biċċíet, and broke into pieces, (lit. was smashed)

tkísser, to be smashed, V form
bíċċa (f.), biċċíet, piece/s
kien ħélu ħáfna, he was very nice, ħelu, sweet, nice
ma ġġelidx mat-talláb, he didn't argue with the beggar
ġġíeled, to quarrel, to argue, to fight, VI form
but (m.), bwiet, pocket/s
u télaq jídħak kemm jíflaħ, and went away laughing to his heart's
    content, (lit. as much as he could)
félaħ, íflaħ, to be strong; jíflaħ iġórr xkóra patáta, he is strong enough
    to carry a sack of potatoes
ġarr, ġorr, to carry
l-għáda, the next day, (lit. the tomorrow)
għádda għal dárba óħra minn ħdejn it-tállab, he passed by the beggar
    again (for another time) .
il-Bambín ibíerkek, may (Baby) Jesus bless you
Bambín, baby (Jesus)
bíerek, to bless, III form
kif missíeri kien qíegħed jispíċċa l-istórja, as my father was finishing his
    story.
spíċċa, to finish, like témm, to end, to finish
x'int tgħídlu lit-tífel? what are you telling my child (my boy)?
ħárset lejh bl-íkrah, she gave him a stern look
u iva, Oh come on!
ma tafx li qíegħed niċċajta?, can't you take a joke? (lit. don't you know
    (can't you see) that I'm kidding
niċċájta, from iċċájta, to joke
din ċájta, it's (this is) a joke; ċájta (f.), ċajtíet, joke/s
li qalħíeli ħabíb tíegħi, which a friend of mine had told me
ħabíb/a, ħbieb, friend/s
li kien qalħíelu ħabíb tíegħu, which a friend of his had told him.

TAĦRIĠ (Exercises)

(1.) Wieġeb dawn il-mistoqsijiet: (Answer the following questions)
1. Min hemm fil-bieb tal-Katidral ta' San Ġwann? 2. X'jgħidu n-
nies fuqu? 3. X'għandu fuq żaqqu? 4. X'jagħmel meta jimxi? 5.
X'għamel darba wieħed sinjur? 6. Fejn kienet ipparkjata l-karozza
tiegħu? 7. X'qallu t-tallab meta reġa' rah? 8. Għaliex ma kenitx tajba
l-munita tas-sinjur? 9. Kien agħma t-tallab? 10. Flok min kien
qiegħed jitlob karitá? 11. Ħuh kien tassew agħma? 12. Għaliex le? 13.
Reġa' tah karitá s-sinjur lit-tallab? 14. X'qaltlu l-mara tiegħu meta
spiċċa l-istorja fuq l-agħma? 15. Kienet vera jew ċajta l-istorja?

134

(2.) **Ikkonjuga dawn il-verbi fil-passat u l-preżent:** (Conjugate the following verbs in the past and present) tkellem, tkisser, twieled, triegħed.

(3.) **Imla l-vojt:** (Fill in the blanks)

1. Kemm ilek .... (tgħallem, pres.) il-Malti? 2. X'ilsna (languages) oħra .... (tgħallem, past) minbarra (besides) l-Malti? 3. Thobb .... (tkellem, pres.) bil-Malti? 4. Biex bnejna dar kbira .... (ssellef, past) ħafna flus. 5. Fis-sajf inħobb .... (xxemmex, pres.) ħdejn il-baħar. 6. Fra Ċelest kien .... (ttallab, pres.) il-flus għall-festa tar-raħal. 7. Int fejn .... (twieled, past), il-Belt jew il-Ħamrun? 8. Rajtu .... (triegħed, pres.) bil-bard. 9. Konna ġa .... (tbiegħed, past) ħafna mill-belt, meta waqfet il-karozza. 10. Dak ix-xiħ qiegħed .... (twieżen, pres.) fuq bastun oħxon. 11. Il-Kavalieri u l-Maltin .... (tqâbad, past) ħafna biex Malta ma taqax taħt it-Torok fl-1565.

(4.) **Aqleb għall-Malti** (Translate into Maltese)

At the Cathedral's door there's a blind man begging for alms. They say that he was born blind. He has a placard with the word 'Blind' on his lap, but nobody knows for sure. One day a rich man passed by and dropped him a 50c. coin into his hat. On his way back home, the beggar recognised him (għarfu), stopped him (waqqfu), and said to him: "Excuse me, Sir, this 50c. coin you gave me this morning is not Maltese but Australian." The rich man took the coin in his hand, examined it minutely and said: "Yes, you're right, but how is it (kif) that you can see me and my coin so well if you're blind?" "No, Sir, I'm not blind, but my brother is. Today I came instead of him," answered the beggar. "And where is your brother today?" "He went to buy a T.V. set," replied the beggar. The rich man was very nice. He said nothing but went away laughing to his heart's content.

IL-WIEĦED U GĦOXRIN LEZZJONI
(The Twenty-first Lesson)

ĦALLIEL TAL-ĦALLELIN

Kienet ix-xitwa. Lejla waħda Ali Baba xtaq jaqta' xi ftit injam biex isaħħan id-dar tiegħu għax kien il-bard. Għalhekk xtara ħafna xkejjer u telaq bil-ħmara lejn il-Foresta l-Ħadra. Din kienet foresta kbira. Kemm-il darba ntqal li fiha nsterqu ħafna nies, li nstamgħu ħsejjes kbar ta' żwiemel u anke li nstabu xi iġsma mejta fl-art. Ali Baba ħaseb li dawn kienu kollha ħrejjef u għalhekk qatt ma baża' minn xejn. Iżda dik il-lejla, għall-ewwel darba, baża' li kien waħdu. Il-biża' żdied meta ntilef u ma setax isib it-triq.

F'daqqa waħda nstamgħu ħsejjes ta' żwiemel ġejjin lejh. Malajr inħeba wara siġra kbira. Meta ż-żwiemel waslu ħdejh, waqfu u niżlu minn fuqhom erbgħin ħalliel. Wieħed minnhom mar quddiem blata u qal: "Infetaħ". F'daqqa waħda nfetħet ġebla kbira fil-blata u deher għar kbir u fond. Imbagħad il-ħallelin kollha daħlu ġewwa l-għar. Wara xi ħmistax-il minuta reġgħu ħarġu. Kellhom fuq daharhom xkejjer mimlijin bid-deheb. Wieħed minnhom mar quddiem il-blata u, "Ingħalaq", qal, u l-ġebla tal-għar ingħalqet. Meta l-ħalllelin telqu, Ali Baba ħareġ malajr minn wara s-siġra u għamel bħalhom.

"Infetaħ," qal Ali, u l-ġebla nfetħet. Ali daħal fl-għar u mela l-ixkejjer tiegħu kollha bid-deheb.

Għabba l-ixkejjer fuq il-ħmara u telaq lejn daru.

Meta wasal, martu ħasbitu fis-sakra bil-ferħ li beda jifraħ.

"Ifraħ, mara, ifraħ ... ara ... deheb ... ħallelin ... foresta ..."

"X'inti tgħid? X'inti tħawwad? Tkellem ċar. Min ħalliel? Inti ħalliel? Int sraqt? ... Kif?"

"Le, mhux jien ħalliel ... dawk ħallelin ... tal-foresta ... jien rajthom deħlin fl-għar ... u ... sraqtilhom id-deheb kollu ..."

"Allura, sewwa għedtlek jien, ... int ħalliel!" qaltlu l-mara.

"Min hu ħalliel tal-ħallelin mhux ħalliel, mhux hekk?" wieġeb.

"Ma nafx, ma nafx ... insomma, fejn hu d-deheb? ... issa, dan tagħna għal dejjem!?"

"Iva, tagħna għal dejjem ... aħna sinjuri."

Meta ntiżen id-deheb kollu, Ali Baba sab li kien għani għal ħajtu kollha. Minn dak in-nhar il-ħsejjes taż-żwiemel ma nstamgħux aktar fil-Foresta l-Ħadra.

GRAMMAR

1. **The Seventh Form**

The seventh form is obtained by prefixing the consonant *n* to the first form, thus: from the first form tilef, to lose, we derive the seventh form *NTILEF*, to be lost. Originally, it is the reflexive of the first form, but is more commonly used with passive meaning.

(a) The conjugation of the seventh form is as follows:-

Past

(i)ntlift, I was lost   (i)ntlifna, we were lost
(i)ntlift, you were lost   (i)ntliftu, you were lost
(i)ntilef, he was lost   (i)ntilfu, they were lost
(i)ntilfet, she was lost

Imperative

(i)ntilef   (i)ntilfu

Present

nintilef, I'm lost   nintilfu, we're lost
tintilef, you're lost   tintilfu, you're lost
jintilef, he's lost   jintilfu, they're lost
tintilef, she's lost

The following verbs are conjugated like NTILEF

ndifen, to be buried   nqatel, to commit suicide
nqabad, to be caught   nbidel, to change (by itself)
nseraq, to be stolen   ntelaq, to faint
ngħalaq, to shut (by itself)   ndaħal, to interfere
nġabar, to be collected   nħaraq, to be burnt
nfetaħ, to open (by itself)   nkiteb, to subscribe

(b) Some verbs prefix *nt*, instead of *n*, to the first form. This is particularly so with verbs which begin with *w*; these verbs also drop the consonant *w* in this form, thus:- from wiżen, to weigh, we obtain the 7th form *ntiżen*, to be weighed; from wiret, to inherit, we obtain *ntiret*, to be inherited.

also:-

intqal, it is said, from qal, to say
intbagħat, to be sent, from bagħat, to send
intrabat, to tie (by itself), from rabat, to tie
intrema, to be thrown away, from rema, to throw away.
etc.

137

(c) Verbs starting with *S* or *X* separate the letters *n* and *t* by the first consonant of the verb, thus:- from sab, to find, we obtain *nst*ab, to be found;

from sama', to hear, we derive *nst*ama, to be heard;

from seraq, to steal, we obtain *nst*eraq, to be stolen, also, *n*seraq

2. **The Eighth Form**

The eighth form is obtained by inserting the letter *t* after the first consonant of the first form, thus:

from fahar (unused) we derive f*t*ahar, to boast, to brag;

from fakar (unused) we derive f*t*akar, to remember;

from sabar (unused) we derive s*t*abar, to have patience.

It is also strictly speaking the reflexive of the first form, but it is mostly used with a passive meaning.

(a) **The conjugation of the eighth form is as follows:-**

Past

ftaqart, I became poor	ftaqarna, we became poor
ftaqart, you became poor	ftaqartu, you became poor
ftaqar, he became poor	ftaqru, they became poor
ftaqret, she became poor	

Imperative

ftaqar,	ftaqru,

Present

niftaqar, I become poor	niftaqru, we become poor
tiftaqar, you become poor	tiftaqru, you become poor
jiftaqar, he becomes poor	jiftaqru, they become poor
tiftaqar, she becomes poor	

(b) **The conjugation of 8th form verbs which end in gh is as follows:-**

Past

(i)ltqajt, I met	(i)iltqajna, we met
(i)ltqajt, you met	(i)ltqajtu, you met
(i)ltaqa', he met	(i)ltaqghu, they met
(i)ltaqghet, she met	

Imperative

(i)ltaqa', meet (sing.)	(i)ltaqghu, meet (pl.)

Present

niltaqa', I meet	niltaqghu, we meet

138

tiltaqa', you meet
jiltaqa' he meets
tiltaqa', she meets

tiltaqgħu, you meet
jiltaqgħu, they meet

(c) Conjugation of 8th form verbs with middle weak (w or j) consonant

Past

xtaqt, I wanted
xtaqt, you wanted
xtaq, he wanted
xtaqet, she wanted

xtaqna, we wanted
xtaqtu, you wanted
xtaqu, they wanted

Imperative

xtieq

xtiequ

Present

nixtieq, I want
tixtieq, you want
jixtieq, he wants
tixtieq, she wants

nixtiequ, we want
tixtiequ, you want
jixtiequ, they want

The following verbs are conjugated like XTAQ

stad, jistad, to fish
żdied, jiżdied, to increase (intra.) (for żtied)
ħtieġ, jeħtieġ, to be necessary

(d) The conjugation of 8th form verbs which end in a j

Past

xtrajt, I bought
xtrajt, you bought
xtara, he bought
xtrat, she bought

xtrajna, we bought
xtrajtu, you bought
xtraw, they bought

Imperative

ixtri, buy (sing.)

ixtru, buy (pl.)

Present

nixtri, I buy
tixtri, you buy
jixtri, he buys
tixtri, she buys

nixtru, we buy
tixtru, you buy
jixtru, they buy

⎤
⎥ irregular
⎦

The following verbs are conjugated like XTARA (in the Past only)

ntesa, to be forgotten, from nesa, to forget

rtema, to be thrown away, from rema, to throw away; also, *ntrema* VII
mtela, to be filled, from mela, to fill

In the Present:

nintesa, nintesew, nirtema, nirtemew; nimtela, nimtlew

WORD-LIST

xítwa (f.), xtíewi, winter/s
léjla wáħda, one evening
xtaq jáqta', he wanted to chop; qáta', to cut, chop, pick
xtaq, to wish, to want, VIII form, from xâq (not used)
injám (m.), wood, fire-wood
biex isáħħan id-dar tíegħu, to warm up his house.
sáħħan, to heat, to warm up II form (cf. sħána, heat; is-sħána, it's hot)
xtára, íxtri, to buy, VIII form
forésta (f.), forésti, forest/s, wood/s
kemm-il dárba, many times
ntqal, it was said, VII form, from qal, to say
li fíħa nstérqu ħáfna nies, that many people had been robbed (kidnapped)
    in it
nstéraq, to be stolen, robbed, VII form, from séraq, to steal
li nstámgħu ħséjjes kbar, that great noises could be heard
nstáma', to be heard, VII form, from sáma', to hear
ħoss (m.), ħséjjes, noise/s
li nstábu íġsma mejta, that dead bodies could be found
nstab, to be found, VII form, from sab, to find
ħráfa (f.), ħréjjef, fairy tale/s
qatt ma báża' minn xejn, he was never afraid of anything
għall-éwwel dárba, for the first time
li kien wáħdu, that he was alone
il-bíża' żdied, his fear increased
bíża' (m.), fear (noun), fright
żdied (for żtied), to increase (by itself), from żied, to increase
méta ntílef, when he got lost
ntílef, to be lost, VII form, from tílef, to lose
u ma setáx isíb it-triq, and couldn't find his way
sab, sib, to find
f'dáqqa wáħda, all of a sudden, suddenly
ġejjín lejh, coming (drawing) near him, approaching him
ġej, ġéjja, ġejjín, coming, present participle of ġie, to come
inħéba wara síġra, he hid behind a tree

140

inħéba, to hide (oneself), VII form, from ħéba, to hide

u níżlu minn fúqhom erbgħín hallíel, and 40 thieves got down from them

níżel, ínżel, to get down, descend

wieħed mínnhom mar quddíem bláta, one of them went in front of a rock

bláta (f.), blatíet, rock/s

infétaħ, open (imperative) of nfétaħ, to open (by itself) from fétaħ, to
    open

ġébla (f.), a stone; ġébel (coll.), ġébla, ġeblíet, stone/s

déher, to appear, to come in sight, to be visible

għar (m.), għeríen, cave/s

fond/a/i, deep

imbágħad, then

fuq dáharhom, on their backs

dáhar (m.), back

mimlijín bid-déheb, filled with gold

ingħálaq, shut (imperative) of ngħálaq, to shut (by itself), VII form, from
    għálaq, to shut, to close

u għámel bħálhom, and he did as they had done

għábba, he loaded; għábba(j), għábbi, to load, II form

mártu ħasbítu fis-sákra, his wife thought he was drunk

bil-ferħ li béda jífraħ, because he was so happy, (lit. with the joy he began
    to rejoice). Compare the Eng. expression: he jumped for joy

féraħ, ífraħ, to rejoice; ferħ, joy (verbal noun)

ífraħ mára, rejoice, (my) wife, (imperative)

x'ínti tgħid? what are you talking about? what are you saying?

x'ínti tħáwwad? what are you babbling (prattling) about?

ħáwwad, to confuse, confound, stir, mix, II form

tkéllem ċar, speak clearly, talk coherently

tkéllem, to talk, speak, V form

ċar, clearly, coherently, distinctly

min (hu) hallíel? who is the thief?

int sraqt? did you steal? séraq, ísraq, to steal

jien rájthom deħlín fl-għar, I saw them go into the cave

u sraqtílhom id-déheb kóllu, and stole all their gold

allúra, then

séwwa għédtlek jien, I was right, (lit. I told you the truth)

min hu hallíel tal-hallelín mhux hallíel, whoever steals from thieves is
    not (himself) a thief, (lit. whoever is a thief of thieves is not a thief)

mhux hekk? don't you agree? isn't that so?

insómma, anyway, anyhow

dan tágħna għal déjjem? is this (gold) ours for good (lit. for always)?

141

méta ntíżen id-déheb kóllu, when all the gold was weighed
ntíżen, to be weighed, VII form, from **wíżen, íżen,** to weigh
sab li kien għáni għal ħájtu kóllha, he found out that he was a rich man
for all his life
minn dak in-nhar, from then (that day) on
il-ħséjjes taż-żwíemel ma nstamgħúx áktar, the noises of horses were
not heard any more

TAĦRIĠ (Exercises)

(1.) **Wieġeb dawn il-mistoqsijiet:** (Answer these questions)
1. Xi xtaq jagħmel Ali Baba lejla waħda? 2. Għalfejn ried jaqta' l-
injam? 3. Fejn mar bil-ħmara? 4. X'kienu jgħidu n-nies fuq il-Foresta
l-Ħadra? 5. Għaliex baża' Ali dak in-nhar? 6. X'sama' Ali f'daqqa
waħda? 7. Kemm kien hemm ħallelin? 8. X'għamel wieħed minnhom?
9. Il-ġebla nfetħet? 10. X'kellhom fl-għar il-ħallelin? 11. X'għamel
imbagħad Ali Baba? 12. X'ħasbet il-mara fuqu meta ratu jifraħ? 13.
Saru sinjuri Ali u martu? 14. Baqgħu jinstamgħu l-ħsejjes taż-
żwiemel fil-Foresta l-Ħadra?

(2.) **Ikkonjuga dawn il-verbi fil-passat u l-preżent:** (Conjugate these
verbs in the past and present)
ngħalaq, nkiteb, ntbagħat, intrabat, nsteraq

(3.) **Imla l-vojt:** (Fill in the blanks)
1. It-tieqa .... (ngħalaq, past) weħidha; 2. Il-bibien ....
(nfetaħ, past); 3. It-tifla .... (ntilef, past); 4. Id-dar ....
(nħaraq, past); 5. Il-ħallelin .... (nqabad, past); 6. Min ....
(ftaħar, pres.) jaqa' l-baħar; 7. Baqa' .... (ftakar, pres.) il-gwerra;
8. Dik il-mara ma setgħetx .... (stabar, pres.); 9. Dik is-sinjura
.... (ftaqar, past); 10. Aħna .... ꞓltaqa', past) ma' Marija; 11.
Inti .... (xtaq, pres.) tmur Franza? 12. Xi trid .... (xtara,
pres.) minn għand tal-laħam? 13. Kulma għamel, kollu ....
(ntesa, past).

(4.) **Aqleb għall-Malti** (Translate into Maltese)
The story of Ali Baba is well known (magħrufa ħafna). It is said that
one winter evening Ali wanted to chop some fire wood from the
forest to warm up his house. When he was there, he suddenly heard
noises of horses coming towards him. He hid behind a tree and saw
40 men get down from their horses. One of them stopped in front of
a huge rock and said: "Open", and a big stone opened. The men
entered a cave and after ten minutes came out again. On their backs
they had sacks filled with gold. One of them said to the stone: "Shut",

and the stone shut itself. When the thieves left, Ali did as they had done. He stole all their gold and went back home. His wife wouldn't believe him (ma reditx temmnu), but finally accepted (aċċettat) his gold, and they became very rich.

IT-TNEJN U GĦOXRIN LEZZJONI
(The Twenty-second Lesson)

MIN JISTENNA JITĦENNA

Darba waħda kien hemm kelb. Sid dan il-kelb kien stagħna fi żmien qasir u xtaq jagħti ikla kbira lill-ħbieb tiegħu. Il-kelb feraħ ħafna meta sama' bl-ikla u denbu twal bil-ferħ.

"Naf x'nagħmel," qal bejnu u bejn ruħu, "il-lejla mmur sas-suq biex nistieden xi kelb ieħor, ħabib tiegħi." U ħekk għamel.

Dik il-lejla l-kelb stenna l-bieb tad-dar jinfetaħ, ħareġ u mar lejn is-suq. Meta wasal, waqaf jistrieħ u ra kelb ieħor abjad jistkenn taħt mejda.

"Hawn x'int tagħmel?" staqsieh.

Il-kelb l-abjad stenbah minn raqda twila u "X'għedt?" wieġbu.

"Ara, il-lejla sidi sa jistieden il-ħbieb tiegħu għal ikla kbira. Ejja miegħi u nieklu ikla ta' ħbieb. Imxi, indaħħlek jien fil-kċina tas-sinjur." U telqu.

Fit-triq tkellmu ħafna fuq kemm ikel tajjeb sa jieklu u kemm ħalib sa jixorbu. Iltaqgħu ma' klieb oħra, ħbieb ta' dan il-kelb l-abjad. Dawn il-klieb stagħġbu meta semgħu bl-ikla u talbuh imorru huma wkoll.

"Le, intom le," weġibhom il-kelb l-abjad. "Dan il-kelb, ħabib tiegħi, lili biss stieden, mhux lilkom."

Tassew li kien qalbu ħażina, dan il-kelb l-abjad.

Il-klieb l-oħra qagħdu jistennew barra filwaqt li l-kelb l-abjad daħal flimkien mal-ħabib tiegħu fid-dar tas-sinjur. Iżda kif rawh il-qaddejja, qabduh minn denbu u xeħtuh 'il barra. Il-klieb l-oħra ġrew għal fuqu u staqsewh, "Kien tajjeb l-ikel?"

Il-kelb l-abjad staħa minnhom, wiċċu ħmar u denbu ċkien bil-mistħija. Baxxa rasu u telaq 'l hemm.

Il-klieb l-oħra baqgħu fejn kienu, jistennew barra l-bieb tal-kċina. Meta dalam ħafna u ħbieb is-sinjur kielu u xorbu kemm felħu, infetaħ il-bieb u l-qaddejja rmew il-fdal tal-ikel.

Il-klieb kollha għamlu festa u marru d-dar żaqqhom mimlija.

Fit-triq iltaqgħu mal-kelb l-abjad.

"Il-lejl it-tajjeb," qalulu, "min jistenna jitħenna ...."

GRAMMAR

1. The Ninth Form

The ninth form expresses the acquisition of colour or a physical quality. In the verb stem it has only one long vowel, usually *â* or *ie*, thus:- *ħmâr*, to blush, to grow red; from aħmar, red; *ċkien*, to grow

144

small, from ċkejken, small.

Conjugation of ninth form verbs:-

Past

ħmart	I blushed	ħmarna	we blushed
ħmart	you blushed	ħmartu	you blushed
ħmar	he blushed	ħmaru	they blushed
ħmaret	she blushed		

Imperative

ħmar		ħmaru

Present

niħmar	I blush	niħmaru	we blush
tiħmar	you blush	tiħmaru	you blush
jiħmar	he blushes	jiħmaru	they blush
tiħmar	she blushes		

The following verbs are conjugated like ĦMAR:-

ħdar, to become green	djieq, to become narrow
sfar, to become yellow	ċkien, to become small
bjad, to become white, pale	krieh, to become ugly
swied, to become black	sbieħ, to become beautiful
smar, to become brown	blieh, to become silly
tjieb, to improve	ħżien, to get worse
twal, to become tall or long	qsar, to become short
xjieħ, to grow old	rtab, to become soft

2. **The Tenth Form**

The tenth form is obtained by prefixing the letters *st* to verbs. If this is a first form bisyllabic verb, like nebah, għana(j), and ħeba(j), it throws its first vowel before its first radical consonant, thus: *stenbah*, to wake up; *stagħna*, to become rich and *staħba*, to hide (oneself). Second form verbs are not modified, e.g. stkerrah, to pull a face.

(a) **The conjugation of tenth form verbs is as follows:-**

Past

stenbaht	I woke up	stenbahna	we woke up
stenbaht	you woke up	stenbahtu	you woke up
stenbah	he woke up	stenbhu	they woke up
stenbhet	she woke up		

Imperative

stenbah, wake up (sing.)	stenbhu, wake up (pl.)

Present

nistenbah	I wake up	nistenbhu	we wake up
tistenbah	you wake up	tistenbhu	you wake up
jistenbah	he wakes up	jistenbhu	they wake up
tistenbah	she wakes up		

The following verbs are conjugated like STENBAH:-

stagħġeb, to be amazed
stejqer, to recover one's strength

(b) Conjugation of 10th form verbs which end in j

Past

staqsejt	I asked	staqsejna	we asked
staqsejt	you asked	staqsejtu	you asked
staqsa	he asked	staqsew	they asked
staqsiet	she asked		

Imperative

staqsi, ask (sing.)	staqsu, ask (pl.)

Present

nistaqsi	I ask	nistaqsu	we ask
tistaqsi	you ask	tistaqsu	you ask
jistaqsi	he asks	jistaqsu	they ask
tistaqsi	she asks		

The following verbs are conjugated like STAQSA:-

staħba, to hide (oneself)
stagħna, to make oneself rich, to become rich
staħa, to be ashamed, to be shy (Past only; Present is irregular nistħi, nistħu)

**(c) Conjugation of 10th form verbs with middle weak conso-
nant:-**

Past

straħt	I rested	straħna	we rested
straħt	you rested	straħtu	you rested
straħ	he rested	straħu	they rested
straħet	she rested		

Imperative

strieħ, rest (sing.)	strieħu, rest (pl.)

Present

nistrieħ	I rest	nistrieħu	we rest
tistrieħ	you rest	tistrieħu	you rest
jistrieħ	he rests	jistrieħu	they rest
tistrieħ	she rests		

(b) The conjugation of 10th form doubled verbs:-

stkennejt	I took shelter	stkennejna	we took shelter
stkennejt	you took shelter	stkennejtu	you took shelter
stkenn	he took shelter	stkennew	they took shelter
stkennet	she took shelter		

Imperative

stkenn, take shelter (sing.)   stkennu, take shelter (pl.)

Present

nistkenn	I take shelter	nistkennu	we take shelter
tistkenn	you take shelter	tistkennu	you take shelter
jistkenn	he takes shelter	jistkennu	they take shelter
tistkenn	she takes shelter		

The verb *'stqarr'*, to confess, is conjugated like 'stkenn'.

(e) The conjugation of the verb STIEDEN, to invite, is as follows:-

Past

stedint	I invited	stedinna	we invited
stedint	you invited	stedintu	you invited
stieden	he invited	stiednu	they invited
stiednet	she invited		

Imperative

stieden, invite (sing.)   stiednu, invite (pl.)

Present

nistieden	I invite	nistiednu	we invite
tistieden	you invite	tistiednu	you invite
jistieden	he invites	jistiednu	they invite
tistieden	she invites		

(f) Conjugation of the verb STENNA, to wait for:-

stennejt	I waited	stennejna	we waited
stennejt	you waited	stennejtu	you waited
stenna	he waited	stennew	they waited
stenniet	she waited		

Imperative

stenna, wait (sing.) stennew, wait (pl.)

Present

nistenna	I wait	nistennew	we wait
tistenna	you wait	tistennew	you wait
jistenna	he waits	jistennew	they wait
tistenna	she waits		

WORD-LIST

Sid il-kelb, the dog's master; notice that this expression is in the construct state

sid (m.), **sidíen**, master/s

kien stághna, he had become rich

stághna, to become rich, X form

fi żmien qasír, in a short time

xtaq jághti íkla kbíra, he wanted to give a banquet; **xtaq**, VIII form

lill-ħbieb tíeghu, to his friends

méta sáma' bl-íkla, when he heard about the banquet

u dénbu twal bil-ferħ, he wagged his tail with joy, (lit. and his tail grew longer with joy)

denb (m.), tail

twal, to grow longer, IX form

naf x'nághmel, I know what to do

biex nistíeden kelb íeħor, to invite another dog

stíeden, to invite, X form

u hekk ghámel, and so he did

sténna l-bieb tad-dar jinfétaħ, he waited for the front door to open.

sténna, to wait for, to expect, X form

wáqaf jistríeħ, he stopped to have a rest

stríeħ, to rest, to have a rest, X form

ra kelb ábjad jistkénn taħt méjda, he saw a white dog sheltering under a table

stkenn, to take shelter, to shelter oneself, X form

sténbah minn ráqda twíla, he woke up from a long sleep

sténbah, to wake up, X form (the h is pronounced throughout)

ráqda (f.), **raqdíet**, sleep (n.)

ráqad, to sleep; **rqad** (verbal noun), **ráqda**, nomen unitatis

il-léjla, this evening

sídi, my master

éjja míeghi, come with me; **éjja** (imperative of the irreg. v. ġie)

148

u níeklu íkla ta' ħbieb, and we'll have a sumptuous dinner (lit. a meal of friends)

ímxi, come along; **méxa,** to walk, to move

indáħħlek jien fil-kċína tas-sinjúr, I'll let you into my master's kitchen

fit-triq, on their way

tkéllmu fuq kemm íkel sa jíeklu u kemm ħalíb sa jixórbu; they talked about how much food and milk they were going to eat and drink

stágħġbu, they were surprised; from **stágħġeb,** to be surprised, X form

u talbúh imórru húma wkóll, and they asked him whether they could also go

líli biss stíeden, he only invited me

kien qálbu ħażína, he was a hard-hearted dog, (lit. a bad-hearted)

ħażín/a, ħżíena, bad

qágħdu jistennéw bárra, they stayed waiting outside

filwáqt, while

kif rawh il-qaddéjja, as soon as the servants saw him

qabdúh minn dénbu, they caught him by the tail

qábad, áqbad, to catch, to seize, to take hold of

u xeħtúh 'il bárra, and hurled (flung) him outside

xéħet, íxħet, to hurl, to fling, to throw

ġrew għal fúqu, they rushed to him, from **ġéra, íġri,** to run

staqséwh, they asked him; **stáqsa,** to ask, X form

kien tájjeb l-íkel? was the food nice? (lit. good)

stáħa mínnhom, he was ashamed in front of them

stáħa, to be ashamed, also, to be shy, X form

wíċċu ħmar, he blushed

u dénbu ċkien, and he put his tail between his legs, (lit. and his tail became smaller

ċkien, to become small, diminish, IX form

bil-mistħíja (f.), in shame; **mistħíja,** mimated noun, from **stáħa**

báxxa rásu, he hung his head; (lit. he lowered his head)

báxxa, báxxi, to lower, II form

u télaq 'l hemm, and he went away; (lit. towards there)

báqgħu fejn kíenu, they stayed where they were

méta dálam ħáfna, when it grew very dark; **dálam,** to grow dark

kíelu u xórbu kemm félħu, they had eaten and drunk to their heart's content, (lit. as much as they physically could)

rmew il-fdal, they threw away the leftovers; **fdal,** leftovers

għámlu fésta, they made a feast (of it)

u márru d-dar żáqqhom mimlíja, and they went back home with full stomachs

min jisténna jithénna, those who wait are comforted
jithénna, from: thénna, to be comforted, V form

TAHRIĠ (Exercises)

(1.) **Wieġeb dawn il-mistoqsijiet:-** (Answer these questions)
1. Xi xtaq jagħmel sid il-kelb? 2. X'għamel il-kelb meta sama' bl-
ikla? 3. Fejn mar il-kelb? 4. Ma' min iltaqa' l-kelb meta mar is-suq?
5. Fejn kien il-kelb l-abjad? 6. Għalxiex stiednu l-kelb tas-sinjur lill-
kelb l-abjad? 7. Aċċettaha (did he accept) l-istedina (the invitation)
l-kelb l-abjad? 8. Fuqiex tkellmu t-tnejn meta kienu fit-triq? 9. Ma'
min iltaqgħu huma u sejrin lura d-dar (on their way back home)? 10.
X'talbuh lill-kelb l-abjad il-klieb l-oħra? 11. X'weġibhom il-kelb l-
abjad? 12. X'għamlulu l-qaddejja tas-sinjur lill-kelb l-abjad? 13.
Staħa l-kelb l-abjad minn ħbiebu? 14. X'għamlu l-qaddejja meta
spiċċat l-ikla (when the banquet was over)? 15. X'għamlu l-klieb l-
oħra? 16. X'jiġrilu (from ġara, to happen) min jistenna?

(2.) **Ikkonjuga fil-passat u l-preżent dawn il-verbi:** (Conjugate these
verbs in the past and present)
stagħġeb, stagħna, ħdar, ċkien.

(3.) **Imla l-vojt:** (Fill in the blanks)
1. Il-mara .... (staħa, past) ħafna meta waqgħet fit-triq. 2. It-tifla
.... (bjad, past) meta ħassha ħażin (when she felt sick). 3. Il-mara
marida .... (tjieb, past) meta ħadet il-mistura (her medicine). 4.
Issa għandi sittin sena u bdejt .... (xjieħ, pres.). 5. Wara li mxejna
ħafna, waqafna u .... (strieħ, past) għaxar minuti. 6. Jiena kull
filgħodu .... (stenbah, pres.) fis-sitta u nqum fis-sebgħa. 7.
"X'ħin hu?" .... (staqsa, past) is-segretarja. 8. Il-qtates marru
.... (staħba, pres.) meta raw il-kelb. 9. Riedu .... (stagħna,
pres.) fi żmien qasir. 10. Nixtieq .... (wera, pres.) l-pittura tiegħi
lis-surmast ta' l-iskola. 11. Meta raw il-pittura tiegħi, it-tfal ....
(stagħġeb, past).

(4.) **Aqleb għall-Malti.** (Translate into Maltese)

The dog's master invited many friends to his banquet. His dog waited
for the kitchen door to open and went to the market to invite a white
dog, a great friend of his, who was sleeping (kien rieqed) under a
table. His friend accepted the invitation right away (malajr). On their
way back home, they met other dogs who also wanted to go to the
banquet. But the white dog refused (ma riedx). So (għalhekk) they
had to wait outside the door. When the servants saw the white dog

150

inside the kitchen, they caught him by the tail, and hurled him outside. He was ashamed in front of the other dogs, hung his head, put his tail between his legs and went away. When the banquet was over, the servants threw away the leftovers, and the other dogs made a big feast. They were very happy and went home with full stomachs.

IT-TLIETA U GĦOXRIN LEZZJONI

(The Twenty-third Lesson)

DAWN L-IMBERKIN FESTI

Is-Sur Tonin kien għani iżda kien ukoll jibża' ħafna li jisirquh. Daru qatt ma ħallieha mument wieħed. Kamartu dejjem mudlama, it-twieqi magħluqin u l-bieb imsakkar bil-muftieħ. Meta jċempel il-bieb ta' barra, tisimgħu jżerżaq malajr mejda tqila, iċaqlaq vażun kbir fuqha u jgerger u jgemgem min sata' kien. Darba, martu, Filomena, xtaqet tmur l-Imdina għall-festa ta' l-Imnarja, u s-Sur Tonin twerwer li, għall-ewwel darba f'għomru, kellu jħalli daru weħidha. Wara li qafel u sakkar kullimkien u ħalla l-kelba marbuta fil-bitħa, ħareġ ma' martu.

Waslu l-Imdina, daħlu l-Katidral, daru l-belt kollha u fis-sebgħa ta' filgħaxija sabu ruħhom quddiem darhom. Is-Sur Tonin fittex fil-bwiet u ma setax isib il-muftieħ.

"Il-Bambin magħna," qal, "fejn hu l-muftieħ?"

"Mhux għandek? weġbitu Filomena.

"Ma nistax insibu. Mhux fil-basket tiegħek, hux? staqsieha.

"Le," qaltlu," jien l-aħħar li rajtu kien f'idek aħna u ħerġin!"

"F'idi?"

"Eh, ma ħallejtux fuq il-mejda, hux?" staqsietu Filomena.

Wiċċ is-Sur Tonin bjad.

"Hekk hu," qal, "ħallejtu fuq il-mejda qabel ma ħriġna."

"Issa x'sa nagħmlu?" reġgħet staqsietu Filomena.

"Issa sew!" qal is-Sur Tonin, "kullimkien maqful!"

Is-Sur Tonin ma damx ma beda jitmasħan u jitfantas bħal wieħed miġnun.

"Dawn l-imberkin festi! Jien għedtlek biex ma mmorru xejn."

Filomena, ma nafx kif, ittawlet mit-toqba tal-muftieħ u "X'waħda din! ... hemm id-dawl ġewwa," werżqet, "ħallelin, ħallelin ..."

Mal-kelma 'ħallelin', is-Sur Tonin petpet għajnejh, temtem xi ħaġa u waqa' fl-art.

Malajr ġabu sellum twil mill-knisja u pulizija tela' miegħu, kisser tieqa żgħira u daħal ġewwa. Bil-lembuba tferfer f'idu, il-pulizija beda nieżel fejn kien hemm id-dawl.

"Oħroġ minn hemm," qal il-pulizija, "oħroġ qed ngħidlek."

"Mjaw," wieġbu qattus, "mjaw ..."

"Imbierek int," qallu l-pulizija, "x'qatgħa tajtni!"

Fil-kamra ma kienx hemm ħallelin. Mifxul, il-pulizija fetaħ il-bieb ta' barra u kulħadd daħal ġewwa.

152

"Fejn hu l-ħalliel?" staqsa mwerwer is-Sur Tonin.

"M'hawnx ħallelin, Sur Tonin," wieġbu l-pulizija. "Għidli ħaġa, Sur Tonin, min ħalla l-kċina mixgħula qabel ma ħriġtu?"

"Mhux jien," wieġeb is-Sur Tonin.

"Mhux int!?" staqsietu Filomena, "mela min daħal l-aħħar fil-kċina biex jagħlaq il-bieb?"

GRAMMAR

1. The Quadriliteral Verb

So far we've seen only triliteral verbs, namely, verbs which have three radical consonants: *kiteb* (k, t, b), *ħabb* (ħ, b, b), *sama'* (s, m, għ), *wasal* (w, s, l), *tar* (t, j, r) and *ħeba* (ħ, b, j), and their nine derived forms.

Besides these verbs, which are by far the most common, there are quite a few quadriliteral verbs, that is, verbs which consist of four radical consonants, thus: *fixkel* (f, x, k, l) to obstruct, to trip.

These quadriliteral verbs are of two types:-

(a) Those of genuine four-radical origin, or at least thought to be, e.g. *fixkel* (f, x, k, l) and *qarben* (q, r, b, n) to give communion.

(b) Verbs formed by the doubling of a biliteral root, sometimes with an onomatopoeic suggestion, e.g. *temtem* (t, m, t, m) to stammer and *ferfer* (f, r, f, r) to wag the tail.

Quadriliteral verbs have a root (first or simple) form and one derived form which is obtained by prefixing the consonant *t* to the root form, thus: from *fixkel* (root form) we obtain *tfixkel* to be hindered, tripped. The meaning of the derived form is reflexive or passive.

(a) Conjugation of the root form of quadriliteral verbs:-

The pattern of the root form corresponds to that of the *second form* of a triliteral verb, thus: fixkel (CvCCvC) is conjugated like the second form verb kisser (CvCCvC).

Past of fixkel to obstruct & temtem to stammer

fixkilt	(kissirt)	temtimt	fixkilna	(kissirna)	temtimna
fixkilt	(kissirt)	temtimt	fixkiltu	(kissirtu)	temtimtu
fixkel	(kisser)	temtem	fixklu	(kissru)	temtmu
fixklet	(kissret)	temtmet			

Imperative

fixkel	(kisser)	temtem	fixklu	(kissru)	temtmu

Present

nfixkel	(nkisser)	ntemtem	nfixklu	(nkissru)	ntemtmu

tfixkel	(tkisser)	ttemtem	tfixklu	(tkissru)	ttemtmu
ifixkel	(ikisser)	itemtem	ifixklu	(ikissru)	itemtmu
tfixkel	(tkisser)	ttemtem			

(b) Conjugation of the derived form of quadriliteral verbs:-

The prefix *t* of the derived form matches with the seven consonants: ċ, d, ġ, s, x, ż and z, e.g. *ċċarċar* (for tċarċar) a verb used for liquid pouring down a surface, *ddendel* (for tdendel) to hang (from something).

The pattern of the derived form corresponds to that of the *fifth form* of a triliteral verb, thus: *tfixkel* (tCvCCvC) is conjugated like the fifth form verb *tkisser* (tCvCCvC).

Past of **tfixkel** and **ddendel**

tfixkilt	(tkissirt)	ddendilt	tfixkilna	(tkissirna)	ddendilna
tfixkilt	(tkissirt)	ddendilt	tfixkiltu	(tkissirtu)	ddendiltu
tfixkel	(tkisser)	ddendel	tfixklu	(tkissru)	ddendlu
tfixklet	(tkissret)	ddendlet			

Imperative

tfixkel	(tkisser)	ddendel	tfixklu	(tkissru)	ddendlu

Present

nitfixkel	(nitkisser)	niddendel	nitfixklu	(nitkissru)	niddendlu
titfixkel	(titkisser)	tiddendel	titfixklu	(titkissru)	tiddendlu
jitfixkel	(jitkisser)	jiddendel	jitfixklu	(jitkissru)	jiddendlu
titfixkel	(titkisser)	tiddendel			

3. **The Passive Voice**

As we have already pointed out when we were explaining the derived forms, the passive is usually expressed by the 5th, 6th, 7th, or 8th form of the triliteral verb, or by the derived form of the quadriliteral verb. It may also be rendered by:

kien (ikun + past participle),

safa (reg. verb) + past participle, or colloquially by

ġie (irreg. verb) + past participle, e.g.

il-bieb *kien miksur*, the door was broken

ir-raġel *ikun maqtul* għada, the man will be killed tomorrow

safa maqtul fil-gwerra, he was killed in the war

ġie maqtul, fil-gwerra, he was killed in the war

4. **Past Participle**

In lesson 11 section 3 we've seen the Past Participle of some regular and irregular 1st form triliteral verbs. In this lesson we're going to see the Past Participle of the triliteral derived forms and of quadriliteral verbs. As the examples given in lesson 11 show, the past participle always begins with an *m* and behaves like an adjective, agreeing in gender and number with the noun it qualifies, e.g. flixkun *miksur*, a broken bottle; tazza *miksura*, a broken glass; siġġijiet *miksurin*, broken chairs.

Here is a list of the past participles of different verbs:-

Verb	Masc. sing.	Fem. sing.	Plural
I Form Triliteral Verbs			
kiser	miksur (broken)	miksura	miksurin
għamel	magħmul (done)	magħmula	magħmulin
bagħat	mibgħut (sent)	mibgħuta	mibgħutin
tefa'	mitfugħ (thrown)	mitfugħa	mitfugħin
wiret	mirut (inherited)	miruta	mirutin
sab	misjub (found)	misjuba	misjubin
ħeba	moħbi (hidden)	moħbija	moħbijin
ħabb	maħbub (loved)	maħbuba	maħbubin
II Form			
kisser	mkisser (smashed)	mkissra	mkissrin
III Form			
bierek	mbierek (blessed)	mbierka	mberkin
IV Form			
wera	muri (shown)	murija	murijin
V Form			
żżewweġ	miżżewweġ (married)	miżżewġa	miżżewġin
VI Form			
ġġieled	miġġieled (not to be on good terms with someone)	miġġielda	miġġeldin
VIII Form			
xtaq	mixtieq (desired)	mixtieqa	mixteqin
X Form			
staqsa	mistoqsi (asked)	mistoqsija	mistoqsijin

Quadriliteral Verbs

I Form			
fixkel	mfixkel (hindered)	mfixkla	mfixklin

N.B. Derived forms which have a passive meaning have no past participle.

155

WORD-LIST

kien jíbża' ħáfna li jisirqúh, he was scared of being robbed

dáru qatt ma hallíeha mumént wíeħed, he never left his house alone for one moment

ħálla, ħálli, to leave, II form

kamártu déjjem mudláma, his room was always dark

mudlám/a/in, dark, obscure; past participle of dálam, to get dark

it-twíeqi magħluqín, his windows were closed

magħlúq/a/in, past participle of għálaq, to close, to shut

il-bieb imsákkar bil-muftíeħ, his door was locked (with a key)

msákkar, msákkra, msakkrín, locked, past participle of sákkar, to lock

muftíeħ, (m.) mfíetaħ, key/s; a big iron key, not used any more, ċavétta, ċwíevet is used nowadays.

méta jċémpel il-bieb ta' bárra, when somebody rings on the front door

ċémpel, to ring. (quad. verb)

tisímgħu jżérżaq malájr méjda tqíla, you could hear him quickly sliding a heavy table

żérżaq, to slide, glide (quad. v.)

iċáqlaq vażún kbir fúqha, and moving a big vase on it

ċáqlaq, to move, (quad. v.)

vażún (m.)/i, vase/s

u jgerger u jgémgem min sata' kien, and grumbling and murmuring who that could be

gérger, to grumble (quad. v.)

gémgem, to murmur (quad. v.)

l-Imnárja, the feast of St. Peter and St. Paul, which falls on 29th June. During the night between 28th & 29th there is a traditional revelry at Busketto Gardens where people eat, drink, sing, and make merry in a festive mood

twérwer, was terrified; (derived quad. v.) from wérwer, to terrify

għall-éwwel dárba f'għómru, for the first time in his life

għómor, age, lifetime

li kéllu jħálli dáru weħídha, that he had to leave his house alone

qáfel, áqfel, to lock

sákkar, to bolt, also, to lock

kullimkíen, everywhere

ħálla l-kélba marbúta fil-bítħa, he left his dog (bitch) tied up in the yard

marbút/a/in, tied, past participle of rábat, to tie

dáru l-belt kóllha, they went round the whole city

sábu rúħhom quddíem dárhom, they found themselves back in front of their house

156

fíttex fil-bwiet, he searched in his pockets

fíttex, to look for, to search, II form

but (m.), bwiet, pocket/s

ma setáx isíb il-muftíeh, he couldn't find his key

mhux għándek? haven't you got it?

mhux fil-básket tíegħek, hux? it isn't in your handbag, is it?

básket (m.), basktijìet, handbag/s, basket/s

jien l-áħħar li rájtu, kien f'ídek, the last time I saw it, it was in your hand

áħna u ħerġín, as we were going out

wíċċu bjad, his face went white; **bjad**, to become pale, (IX Form)

hekk hu, that's it

íssa x'sa nágħmlu? what are we going to do now?

íssa sew! who knows!

maqfúl/a/in, locked up, past participle of **qáfel**, to lock

ma damx ma béda jitmáshan u jitfántas bħal wíeħed miġnún, it wasn't long before he started ranting and raving like a mad man

tmáshan, to rant (derived quad. v.)

tfántas, to rave, (derived quad. v.), to be irritated

miġnún/a/mġíenen, mad

dawn l-imberkín fésti! these blessed feasts!

jien għédtlek biex ma mmórru xejn. I've told you, we should never go

ma nafx kif, for some reason, (lit. I don't know how)

ittáwlet mit-tóqba tal-muftíeħ, she peeped through the keyhole

ttáwwal, to peep, to look out (of a window)

tóqba (f.), tóqob, hole/s

hemm id-dawl ġéwwa, there is light inside

wérżqet, she screamed; **wérżaq**, to scream, to shriek, (quad. v.)

mal-kélma 'ħallelín', at the word 'burglars'

pétpet għajnéjh, he blinked his eyes; **pétpet**, to blink (quad. v.)

témtem xi ħáġa, he stammered a few incomprehensible words (lit. something)

témtem, to stammer (quad. v.)

malájr ġábu sellúm twil, they quickly fetched a big (long) ladder

ġab, ġib, to bring, to fetch

sellúm (m.), slíelem, ladder/s

pulizíja téla' míegħu, a policeman climbed it (lit. went up with it)

kísser tíeqa żgħíra, he broke (smashed) a small window

bil-lembúba tférfer f'ídu, with the truncheon shaking in his hand

lembúba (f.), truncheon

férfer, to shake, to wag, (quad. v.)

béda nieżel fejn kien hemm id-dawl, he started going down towards the

light; **níeżel, níeżla, neżlín**, pres. part. of **nížel**
óħroġ minn hemm, come out of there
óħroġ qed ngħídlek, come out I'm telling you
imbíerek int, God bless you
x'qátgħa tájtni, what a big shock you gave me
qátgħa, shock
mifxúl, embarrassed, past part. of **fíxel**, to embarrass
mwérwer, terrified, past part. of **wérwer**, to terrify
għídli ħáġa, tell me something
min ħalla l-kċína mixgħúla qábel ma ħrìġtu, who left the kitchen light
   on before you went out
mixgħúl/a/in, past part. of **xégħel**, to light, to switch on the light
mhux jien, not me
méla min dáħal l-áħħar fil-kċína biex jágħlaq il-bieb? who was the last
   to go into the kitchen and shut the door?

TAĦRIĠ (Exercises)

(1.) **Wieġeb dawn il-mistoqsijiet:-** (Answer these questions)

1. Minn xiex (of what) kien jibża' s-Sur Tonin? 2. Kif kienet tkun
kamartu? 3. X'kien jagħmel meta jċempel il-bieb ta' barra? 4. Fejn
xtaqet tmur martu, Filomena? 5. Għaliex twerwer is-Sur Tonin? 6.
Meta waslu l-Imdina, fejn marru? 7. X'ħin waslu lura d-dar? 8.
Għaliex qal is-Sur Tonin: "Il-Bambin magħna? 9. Fejn kien ħalla l-
muftieħ is-Sur Tonin qabel ma ħarġu? 10. X'rat Filomena meta
ttawlet mit-toqba tal-muftieħ? 11. X'ġabu mill-knisja? 12. X'għamel
il-pulizija? 13. X'sab il-pulizija minflok il-ħalliel? 14. Min kien nesa
d-dawl fil-kċina qabel ma ħargu?

(2.) **Ikkonjuga dawn il-verbi fil-passat u l-preżent:-** (Conjugate these
verbs in the past and present)

gerger, werżaq, twerwer, tqarben (to receive Holy Communion).

(3.) **Imla l-vojt:-** (Fill in the blanks)

1. Il-bibien kienu ……… (sakkar, past participle). 2. It-tieqa kienet
……… (fetaħ, past part.). 3. Il-kamra kienet ……… (dalam, past
part.). 4. It-twieqi kienu ……… (għalaq, past part.) 5. Is-Sur Tonin
kien ……… (werwer, past part.). 6. Il-mara ……… (tfixkel, past
tense) u waqgħet. 7. Dik ix-xiħa dejjem ……… (gerger, pres.). 8.
Jiena ……… (ċaqlaq, past tense) il-vażun. 9. It-tfal iħobbu ………
(werżaq, pres.).

(4.) **Aqleb għall-Malti:-** (Translate into Maltese)

158

Mr Tonin was scared of being robbed. For that reason (għalhekk) he never left his house alone. But one day his wife, Filomena, wanted to go to Mdina for the traditional (tradizzjonali) Mnarja Feast. They locked all doors and windows, went to Mdina Cathedral and around the beautiful city, and at 7 p.m. were already back in front of their house. But Mr Tonin couldn't find his key. Poor Filomena; she was his scapegoat (weħlet hi). They fetched a big ladder from the Parish Church and a young man (żagħżugħ) climbed it, broke a window and jumped (qabeż) inside. He found the key on the kitchen table, opened the front door and everybody entered. Mr Tonin was glad that it ended the way it did (li spiċċat kif spiċċat), but promised never again to leave his house.

L-ERBGĦA U GĦOXRIN·LEZZJONI

(The twenty-fourth Lesson)

JORQOD MAL-FATATI

Is-Sur Johnson issa ilu sena jistudja l-Malti. Ma jafx jesprimi ruħu wisq tajjeb iżda kapaċi jaqra artikli twal ta' ġurnali li jittrattaw fuq l-arti, għax is-Sur Johnson iħobbha ħafna l-arti. L-iskrivana tiegħu tittajpjalu xi ittri lill-edituri fuq dan is-suġġett. Iħobb ipinġi u jirċievi ħafna ġurnali fuq il-pittura moderna. L-iskultura jħobbha wkoll iżda mhux daqs il-pittura, għalkemm għamel statwi tassew sbieħ. Id-dar tiegħu mimlija kwadri ta' veduti ta' Malta u t'artisti barranin. It-tifel tiegħu, John, miġnun fuq l-isport u missieru jirrabja miegħu għax ma jobdihx u jmur jittrenja għall-futbol flok li jistudja. Il-bieraħ lagħab partita futbol, ixxotja l-ballun u skorja, iżda ħabat rasu mal-lasta, storda u ħaduh l-isptar. Sikwit jivvjaġġa minn pajjiż għal ieħor u jieħu gost ħafna meta l-ajruplan tiegħu jiddajvja fuq xi port fejn jidhru ħafna vapuri kbar.

Is-Sinjura Johnson tħobb il-kant u l-ħin kollu tkanta xi opra ta' Verdi. Tirrispetta ħafna s-seftura u x-xufier tagħha, u tittrattahom tajjeb. Meta s-seftura tiżbalja jew tkisser xi tazza jew platt, is-Sinjura tieħu paċenzja biha u tirraġuna bil-mod magħha. Miskin ix-xufier skiddja bil-karozza għax kienet ix-xita u korra sew. Issa qiegħda ssuq is-seftura iżda tibża' li taħbat. Wieħed mill-pulizija waħħalha multa għax ipparkjat ħażin. Miskina s-seftura, weħlet Lm10, paga ta' ġurnata. Is-seftura tibża' mill-klieb, mill-karozzi, mill-pulizija, iżda tibża' ħafna mill-fatati. Bil-lejl ma tinżilx fil-kantina għax hemm il-fatati, ma titlax fuq għax hemm id-dlam, ma tidħolx fil-kamra s-sewda għax tara xi ruħ. Meta torqod titfa' ħames kutri fuqha u taħbi wiċċha taħt il-liżar.

Darba s-Sur Johnson libes ta' fatat u daħal bil-mod fil-kamra tagħha. Tistgħu taħsbu kemm werżqet. Issa ma tridx torqod aktar weħidha. Qed torqod magħha s-Sinjura Johnson. Miskin is-Sur Johnson qed jorqod waħdu ... mal-fatati. Ah! X'waħda din!

GRAMMAR

Maltese, especially colloquial and journalistic Maltese, is more than fifty per cent non-Semitic in vocabulary and idiomatic expressions. For this reason it is essential to learn how loan words are absorbed into the language and how they adapt themselves to the Semitic-Maltese patterns of verbs, nouns and adjectives.

1. Loan Verbs

(A) Maltese has borrowed a great number of foreign verbs largely from Italian, Sicilian and recently also from English.

(i) All loan verbs derived from English end in *ja*, thus:-

skorja, jiskorja, to score, from English to score;
iddajvja, jiddajvja, to dive, from English to dive and
ixxotja, jixxotja, to kick a ball, from English to shoot.

(ii) Loan verbs derived from other languages end in *a*, thus:-

storda, jistordi, to get dizzy, from Italian stordire;
obda, jobdi, to obey, from Italian obbedire; and
salva, isalva, to save, from Italian salvare.

(iii) All loan verbs are conjugated like a regular triradical verb with a weak third consonant *j*, not without some slight irregularities, thus:-

Past

studjajt, I studied, pinġejt, I painted, obdejt, I obeyed, stabilejt, I established

studjajt	pinġejt	obdejt	stabilejt
studja	pinġa	obda	stabilixxa
studjat	pinġiet	obdiet	stabiliet
studjajna	pinġejna	obdejna	stabilejna
studjajtu	pinġejtu	obdejtu	stabilejtu
studjaw	pinġew	obdew	stabilew

Imperative

studja, studjaw	pinġi, pinġu	obdi, obdu	stabilixxi/u

Present

nistudja	inpinġi	nobdi	nistabilixxi
tistudja	tpinġi	tobdi	tistabilixxi
jistudja	ipinġi	jobdi	jistabilixxi
tistudja	tpinġi	tobdi	tistabilixxi
nistudjaw	inpinġu	nobdu	nistabilixxu
tistudjaw	tpinġu	tobdu	tistabilixxu
jistudjaw	ipinġu	jobdu	jistabilixxu

(a) **The following verbs are conjugated like STUDJA:-**

kanta, ikanta, to sing, from It. cantare,
salva, isalva, to save, from It. salvare,
ikkmanda, jikkmanda, to command, from It. commandare.

N.B. In Italian the infinitive of these verbs ends in *are* .

Also conjugated like STUDJA are those verbs derived from English, thus:

ittrenja, jittrenja, to train; *ixxotja*, jixxotja, to kick the ball; *skiddja*, jiskiddja, to skid; *ittajpja*, jittajpja, to type.

(b) The following verbs are conjugated like PINĠA:-
irċieva, jirċievi, to receive, from It. riċevere,
xolja, ixolji, to dissolve, to dismiss, from It. sciogliere
N.B. In Italian the infinitive of these verbs ends in *ere*.

(c) The following verbs are conjugated like OBDA:-
forna, iforni, to furnish, from It. fornire
storda, jistordi, to become dizzy, from It. stordire
N.B. In Italian the infinitive of these verbs ends in *ire*

(d) The following verbs are conjugated like STABILIXXA:-
skolpixxa, jiskoplixxi, to sculpt, from It. scolpire;
ifjorixxa, jifjorixxi, to flourish, from It. fiorire;
tradixxa, jitradixxi, to betray, from It. tradire.
N.B. In Italian the infinitive of these verbs also end in *ire*.
N.B. The *ixx* is dropped before a pronominal suffix, e.g. jiskolpih, he sculpts it/him.

(B) Derived Forms of Loan Verbs
Of particular interest is the ability of the Maltese language to derive verbs from loan words in the normal Semitic way and with the normal Semitic meaning, thus:-
from the noun pipa, a pipe, we derive *pejjep*, to smoke, *II form* (compare, xemmex from xemx); from the adjective baxx, low, we derive *baxxa*, to lower, *II form* and *tbaxxa*, to lower oneself, *V form*; from the verb uża, to use, make use of, *I form*, we derive *ntuża*, jintuża, to be used, *VII form*.
N.B. Some loan verbs look like derived verbs but in reality they just double their first consonant and prefix a euphonic vowel *i*, thus:- *ipprova*, jipprova, to try and *ittardja*, jittardja, to be late. These verbs are conjugated like verbs which end in *j*.

2. **Loan Nouns**
Loan nouns may take either the *Sound* or *Broken* Plural, thus:-
(a) Sound Plural
siġġu (m.), siġġijiet, chair/s
flokk (m.), flokkijiet, vest/s
pjanu (m.), pjanijiet, piano/s
sistema (m. or f.), sistemi, system/s
fanal (m.), fanali, lantern/s
suldat (m.), suldati, soldier/s
xufier (m.), xufiera, driver/s

162

parrukkier (m.), parrukkiera, barber/s

(b) **Broken Plural**

dublett (m.), dbielet, skirt/s
furketta (f.), frieket, fork/s
kaxxa (f.), kaxex, box/es
pinna (f.), pinen, pen/s
storja (f.), stejjer, story, stories
skola (f.), skejjel, school/s
serp (m.), sriep, serpent/s
ċumnija (f.), ċmieni, chimney/s

3. **Loan Adjectives**

Loan adjectives form their feminine and plural in the following way:-

(a)

Masc. Sing.	Fem. Sing.	Plural	
bravu	brava	bravi	clever
ċar	ċara	ċari	clear
vast	vasta	vasti	vast
perfett	perfetta	perfetti	perfect
modern	moderna	moderni	modern
reliġjuż	reliġjuża	reliġjużi	religious

(b) Adjectives ending in *i* remain the same for all genders and numbers, e.g.

differenti	differenti	differenti	different
kapaċi	kapaċi	kapaċi	capable
formali	formali	formali	formal
faċli	faċli	faċli	easy
interessanti	interessanti	interessanti	interesting

WORD-LIST

íssa ílu séna jistúdja l-Málti, he's now been studying Maltese for a year
stúdja, to study
ma jafx jesprími rúħu wisq tájjeb, he can't express himself very well
espríma, to express; **rúħu**, himself
kapáċi, he's able, capable, he can
li jittrattáw fuq l-árti, (which are) on art, (which deal with art)
ittrátta, to deal with, to treat, to be a question of
árti (f.), fine arts
skriván, skrivána, skriváni, clerk/s
tittajpjálu, she types for him; **ittájpja**, to type
editúr (m.) **editúri**, editor/s
fuq dan is-suġġétt, on this subject; **suġġétt** (m.), **suġġétti**, subject/s

163

iħóbb ipínġi, he likes painting; pínġa, to paint
jirċievi, he receives; irċieva, to receive
fuq il-pittúra modérna, on modern painting; pittúra (f.), i. painting/s
modérn, modérna, modérni, modern
l-iskultúra jħóbbha wkóll, he likes sculpturè as well, (double object)
skultúra (f.), sculpture
iżda mhux daqs il-pittúra, but not as much as painting
għalkémm, although
għámel státwi tasséw sbieħ, he has made very nice statues indeed
státwa (f.), státwi, statue/s
kwádri ta' vedúti ta' Malta, pictures of Maltese landscapes
kwádru (m.), kwádri, picture/s
vedúta (f.), vedúti, scene/s, view/s, sight/s, landscape/s
u t'artísti barranín, and by foreign artists
artíst, artísta, artísti, artist/s
barráni, barraníja, barranín, foreign
miġnún fuq l-ispórt, he's crazy about sport
sport (m.), sport/s
jirrábja míegħu, he gets angry with him; irrábja, to get angry
għax ma jobdíhx, because he doesn't obey him; óbda, to obey
jmur jittrénja għall-fútbol, he goes to football training
ittrénja, to train
fútbol (m.), football
flok li jistúdja, instead of studying
lágħab partíta fútbol, he played a football match; lágħab, ílgħab, to play
partíta (f.), partíti, match/es, game/s
ixxótja l-ballún, he kicked the ball; ixxótja, to kick (a ball)
ballún (m.), blálen, ball/s
u skórja, and he scored (a goal); skórja, to score (a goal)
ħábat rásu mal-lásta, he hit his head against the goal-post
lásta (f.), lásti, goal-post/s, bar/s
stórda, he fainted, (to get dizzy, to faint)
hadúħ l-isptár, he was taken to hospital
sptar (m.), sptarijíet, hospital/s
sikwít jivvjáġġa, he often travels, ivvjáġġa, to travel
jíeħu gost ħáfna, he really enjoys himself, (lit. he takes pleasure)
méta l-ajruplán tíegħu jiddájvja, when the plane dives
iddájvja, to dive
fuq xi port, towards a harbour
fejn jídhru ħáfna vapúri kbar, where there are many big ships, (lit. are
    visible)

164

tħobb il-kant, she likes singing; **kant** (m.), singing
il-ħin kóllu, all the time
tkánta xi ópra ta' Vérdi, she sings a Verdi opera; **kánta**, to sing
ópra (f.), **ópri**, opera/s
tirrispétta ħáfna s-seftúra u x-xufíer tágħha, she has great respect for
   her maid and driver
irrispétta, to respect
xufíer (m.), **xufíera**, driver/s
tittrattahóm tájjeb, she treats them kindly, (pron. tittrattóm)
ittrátta, to treat
méta tiżbálja, when she's wrong (about anything), makes a blunder
żbálja, to be wrong
tíeħu paċénzja, to be patient
tirragúna bil-mod mágħha, she slowly explains things to her in a
   reasonable way; **irragúna**, to reason
bil-mod, slowly
skíddja, he skidded
għax kíenet ix-xíta, because it was raining
u kórra sew, and he was badly hurt; **kórra**, to hurt oneself
íssa qíegħda ssuq is-seftúra, now the maid is driving
saq, suq, to drive
iżda tíbża' li táħbat, but she's afraid of having an accident (lit. that she
   might crash)
pulizíja waħħálha múlta, a policeman gave her a fine; **múlta**, a fine
wáħħal, to stick, to fix, to assign, to give, II form of **weħel**, to be stuck
għax ipparkját ħażín, because she parked in the wrong place, (lit. badly)
wéħlet Lm10, she had to pay Lm10, from **wéħel**, to stick, here, to pay
pága ta' gurnáta, a day's wage
pága (f.), **pági**, pay, salary
tíbża' ħáfna mill-fatáti, she's very much afraid of ghosts
fatát (m.), **fatáti**, ghost/s
bil-lejl, at night, by night
ma tinżílx fil-kantína, she does not go down to the basement
kantína (f.), **kantíni**, basement/s
għax hemm il-fatáti, because there are ghosts
ma titláx fuq għax hemm id-dlam, she doesn't go upstairs because it's
   dark
dlam (m.), darkness
għax tára xi ruħ, because she might see a spirit
ruħ (here, a spirit, a ghost)
títfa' ħámes kútri fúqha, she puts five blankets on herself

kútra (f.), kútri, blanket/s
u táħbi wíċċha taħt il-liżár, she covers her face with (under) the sheet
ħéba, áħbi, to hide
liżár (m.), lóżor, sheet/s
líbes ta' fatát, he dressed up as a ghost
tístgħu táħsbu kemm wérżqet, you can imagine how much she screamed
ħáseb, áħseb, to think
wérżaq, to scream (quad. v.)
íssa ma tridx tórqod áktar weħídha, now she doesn't want to sleep on
her own any more
qed tórqod mágħha s-Sinjúra Johnson, Mrs. Johnson sleeps with her
miskín is-Sur Johnson qed jórqod wáħdu, poor Mr. Johnson, he sleeps
on his own
mal-fatáti, with the ghosts
x'wáħda din! my goodness!

TAĦRIĠ (Exercises)

(1.) Wieġeb dawn il-mistoqsijiet:- (Answer these questions)
1. Kemm ilu jistudja l-Malti s-Sur Johnson? 2. Jaf jesprimi ruħu
tajjeb bil-Malti? 3. X'jaqra s-Sur Johnson? 4. X'iħobb jagħmel? 5. L-
iskultura jħobbha daqs il-pittura? 6. X'għandu fid-dar tiegħu? 7. It-
tifel tiegħu, John, x'iħobb jilgħab? 8. Għaliex jirrabja miegħu missieru?
9. Xi ġralu darba meta skorja gowl (goal)? 10. Xi tħobb is-Sinjura
Johnson? 11. Xi ġralu x-xufier tagħha? 12. Issa min qiegħed isuq il-
karozza tas-Sinjura Johnson? 13. Kemm flus waħħalha pulizija lis-
seftura? 14. Minn xiex tibża' s-seftura bil-lejl? 15. X'tagħmel biex
ma tibżax meta torqod? 16. X'għamlilha darba s-Sur Johnson lis-
seftura? 17. Issa min qed jorqod mas-seftura? 18. U s-Sur Johnson
ma' min qed jorqod?

(2.) Ikkonjuga dawn il-verbi fil-passat u l-preżent:- (Conjugate these
verbs in the past and present)

kanta, irċieva, storda, ittradixxa.

(3.) Imla l-vojt:- (Fill in the blanks)
1. It-tifel tiegħi ma .... (studja, past neg.) u għalhekk weħel (he
failed) fl-eżami. 2. Fil-ħajja trid .... (obda, pres.) l-liġijiet tal-
pajjiż. 3. Inti tħobb .... (pinġa, pres.)? 4. Maradona player famuż
u jaf .... (skorja, pres.) gowls sbieħ ħafna. 5. Fil-gwerra l-
ajruplani kienu .... (iddajvja, pres.) fuq il-Port il-Kbir. 6. Meta
kienet tielgħa l-muntanja (mountain) .... (storda, past), waqgħet
u mietet. 7. Kristu miet biex aħna .... (salva, pres.) mid-dnub

166

(sin). 8. Pavarotti għandu vuċi (voice) qawwija (strong) u ....
(kanta, pres.) sabiħ ħafna. 9. Fil-ħajja min .... (ikkmanda, pres.)
u min .... (obda, pres.). 10. Il-bieraħ (jien) .... (irċieva, past)
ittra importanti minn Franza. 11. Il-ġimgħa l-oħra (last week) ....
(xolja, past) l-parlament (parliament) u issa sa jkollna l-elezzjoni
(election). 12. Ġuda .... (ittradixxa, past) lil Kristu. 13. Fil-ħajja
trid .... (ipprova, pres.) biex .... (irnexxa, pres.) (to suc-
ceed).

(4.) **Aqleb għall-Malti:** (Translate into Maltese)

I've been studying Maltese for more than a year now. I can't express
myself well in Maltese but I read the paper everyday. I like painting
and go to exhibitions (same word) by Maltese artists at the Museum
(il-mużew). I bought many pictures which now hang (li huma
mdendlin) on the walls of my study (studju). I don't like sport very
much, but my son does. My wife likes singing and is always singing
in the bathroom, in her car, everywhere. She thinks she is another
Pavarotti. Last week she was fined Lm10 (waħħluha) because she
parked in the wrong place. She doesn't mind (ma tħabbilx rasha)
because I had to pay her fine. Our maid doesn't sing, she talks
(titkellem) instead, and too much (iżżejjed). By day she talks to
everybody, including (anke) the many cats and dogs we've got in our
garden; by night she talks to herself (weħidha) or to ghosts because
I often see her going down to the basement at midnight and hear her
talk ... to ghosts!? Who knows?

INDEX TO LESSONS

168

The Verbs **RIED, XTARA**
Present Participle (dieħel, dieħla, deħlin)
Kollox, kulma, kolli, waħdi, waħdek ...

M'għandi xejn x'nagħmel, I've got nothing to do
Nomen Unitatis (rebħa, victory, daħla, entrance)

KEY TO EXERCISES

Alternative renderings, notes, etc. are given in brackets.

1. DAN X'INHU?

Exercise 1

1. Dak raġel. 2. Dik mara. 3. Dawk kotba (studenti). 4. Le, int raġel. 5. Iva, jien student. 6. Dak ktieb ġdid. 7. Dik mejda kbira (żgħira). 8. Iva, dawk ukoll studenti. 9. Hu tifel żgħir. 10. Hi tifla żgħira. 11. Huma studenti. 12. Int għalliem.

Exercise 2

1. Dak x'inhu? 2. Din x'inhi? 3. Dawk x'inhuma? 4. Int x'int? 5. Jien x'jien? 6. Kemm hemm kotba? 7. Dan ħajt ġdid jew qadim? 8. Din dar ġdida jew qadima? 9. Dawn kotba ġodda jew qodma? 10. Dak siġġu żgħir jew kbir? 11. Dik x'inhi? 12. Dak x'inhu?

Exercise 3

1. ġdid (qadim, żgħir, kbir). 2. żgħira (kbira). 3. ġodda (qodma, żgħar, kbar). 4. żgħar (kbar). 5. ġdida (qadima, żgħira, kbira). 6. ġodda (qodma, żgħar, kbar). 7. ġdida (qadima, żgħira, kbira). 8. ġdid (qadim, żgħir, kbir). 9. ġdid (qadim, żgħir, kbir). 10. ġdid (qadim, żgħir, kbir). 11. żgħir (kbir). 12. ġdida (qadima, żgħira, kbira).

Exercise 4

Dik x'inhi? Dik tieqa. Dak x'inhu? Dak bieb. Dawk kotba? Iva, dawk kotba. Dawk siġġijiet qodma jew ġodda? Dawk siġġijiet qodma. Jien student? Le. Mela jien x'jien? Int għalliem. U dawk x'inhuma? Ħajt, art, saqaf, mejda u siġġu. X'aktar? Xejn. Kif xejn? Oh! Iva, għalliem u studenti, int u aħna.

2. IL-FLUS MHUX KOLLOX

Exercise 1

1. Fuq il-mejda. 2. Ħdejn il-mejda. 3. Fil-kamra hemm l-istudenti, il-bieb, it-tieqa, is-saqaf, l-art u s-siġġijiet. 4. Għaxra. 5. Ta' wieħed sinjur. 6. Tas-sinjur ukoll. 7. Iva, tas-sinjur ukoll. 8. Il-qattus l-iswed tas-sinjur. 9. Le, ix-xemx mhix tas-sinjur. 10. Tas-sinjur wkoll. 11. Iva, kollox tas-sinjur. 12. Int fqir.

Exercise 2

1. Dawn x'inhuma? 2. X'hemm fuq il-mejda? 3. Min hemm fil-kamra? 4. Dik id-dar sabiħa? 5. Ix-xemx tas-sinjur? 6. Il-flus kollox? 7. Hu marid? 8. Dik xemx jew qamar? 9. Dak żiemel abjad? 10. X'hemm fid-dar?

Exercise 3

Min hemm ħdejn il-mejda? L-għalliem. Fejn huma l-kotba? Fuq il-mejda.
X'hawn aktar fil-kamra? Fil-kamra hawn l-istudenti, it-tieqa, is-saqaf u s-
siġġijiet. Din dar kbira. Kemm hemm kmamar fid-dar? Għaxra. Ta' min
hi d-dar? Ta' wieħed sinjur. Dik il-karozza sabiħa, hux? Iva, ħafna. Dak
x'inhu fit-triq? Qattus. Ix-xemx tas-sinjur ukoll? Le, imma l-flus, iva.
Mħux bħali, jien fqir. Fqir imma mħux marid. Il-flus mħux kollox. Saħħa.

3. GĦAND TAL-ĦANUT

Exercise 1

1. Is-Sur Camilleri hu tabib. 2. Iva, miżżewweġ. 3. Għandu dar il-belt
Valletta. 4. Jisimha Marija. 5. Tnejn. 6. Iva, John bravu l-iskola. 7. Le,
Doris mhix brava bħal ħuha. 8. John m'għandux ħbieb, imma Doris
għandha ħafna. 9. Le, illum m'għandix ġuħ. (iva, illum għandi ġuħ). 10.
Le, m'għandix għatx. (iva, għandi għatx). 11. Illum ix-xemx (ir-riħ). 12.
Illum is-shana (il-bard). 13. Kull filgħodu s-Sinjura Camilleri tmur għand
tal-ħobż, għand tal-laħam, għand tal-ħaxix u għand tal-grocer. 14. Darba
f'ġimgħa tmur għand il-ħajjata, għand il-hair-dresser, u kultant għand id-
dentist ukoll. 15. It-tabib Camilleri ma jmur għand ħadd.

Exercise 2

1. missieri. 2. uliedna. 3. ibnek. 4. it-tifel tagħha (binha). 5. Idek. 6. għajni.
7. darek (id-dar tiegħek). 8. binti (it-tifla tiegħi).

Exercise 3

Is-Sur Camilleri hu tabib u għandu dar il-belt Valletta. Miżżewweġ u
għandu tifel, John, u tifla, Doris. Martu (Il-mara tiegħu), Marija, ħelwa
ħafna u qalbha tajba. John bravu u dejjem l-ewwel fil-klassi. Doris mhix
bħal ħuha; dejjem barra ma' ħbiebha. John twil, imma Doris qasira bħal
ommha. John dejjem igerger li s-shana jew il-bard. Doris dejjem ferħana;
illum għandha tieġ, għada piknik, il-bieraħ disco ...
Kull filgħodu ommha tmur għand tal-ħobż, għand tal-laħam u għand tal-
grocer. Darba f'ġimgħa tmur għand il-hairdresser.
It-tabib ma jmur għand ħadd; dejjem l-ispiżerija.

4. KULJUM FIS-SAKRA

Exercise 1

1. Libes żarbun aħmar. 2. Għax kien imdejjaq. 3. Għax kien ferħan. 4. Iva,
kuljum fis-sakra. 5. Ibnu l-kbir. 6. Iva, kien fis-sakra wkoll. 7. Xorob għax
kien imdejjaq li missieru kien fis-sakra. 8. Ix-xiħ waqa' fit-triq. 9. Iva, meta
waqaf it-traffiku kien hemm pulizija. 10. Il-pulizija bagħat għal martu

(għall-mara tiegħu). 11. Il-mara tax-xiħ kienet għand tal-ħanut ta' l-inbid. 12. Kienet imdejqa hi wkoll.

Exercise 2

1. ħareġ. 2. kienet. 3. bagħat. 4. ħabat. 5. libes. 6. għamel. 7. ħaseb. 8. xorob. 9. waqaf. 10. waqa'.

Exercise 3

Ix-xiħ libes żarbun aħmar. Miskin, ħaseb li llum (kien) il-Karnival.
"Imma llum mhux il-Karnival!"
"Le, imma ... hu fis-sakra."
"Għaliex xorob ħafna (tant) inbid?"
"Għax kien imdejjaq."
"U għax (għaliex) xorob il-bieraħ ukoll?"
"Għax kien ferħan."
"U ibnu l-kbir għaliex (għax) xorob illum?"
"Għax kien imdejjaq li missieru kien fis-sakra."
"U hekk kienu ferħanin it-tnejn!"
"Ix-xiħ waqa' fit-triq u t-traffiku kollu waqaf. Il-pulizija bagħat għal martu."
"Sewwa għamel."
"Taf fejn kienet?"
"Id-dar?"
"Le!"
"Mela fejn?"
"Għand tal-ħanut ta' l-inbid. Kienet imdejqa hi wkoll."

5. ALLA ĦALAQ KOLLOX

Exercise 1

1. Għax l-għalliem wasal tard l-iskola. 2. Joe qabeż mit-tieqa, daħal fil-ġnien u qata' tuffieħa. 3. L-għalliem wasal meta (kif) Joe daħal fil-klassi. 4. "Fejn kont, Joe? Kif ħriġt mill-klassi?" 5. "Mit-tieqa, Sir. Qbiżt mit-tieqa, ħriġt fil-ġnien u dħalt mill-bieb." 6. Fetħu l-kotba. 7. Il-lezzjoni kienet fuq in-natura. 8. Alla ħalaq kollox. 9. L-ewwel bnedmin kienu Adam u Eva. 10. Kisru l-kmand t'Alla. 11. Iva, kienu kuntenti fil-ġenna ta' l-art. 12. Għax kielu t-tuffieħa. 13. Le, Joe qata' t-tuffieħa mill-ġnien ta' l-iskola u mhux mill-ġnien ta' l-Eden. 14. Kulħadd daħak.

Exercise 2

dħalt	ħriġt	ftaħt	ksirt
dħalt	ħriġt	ftaħt	ksirt
daħal	ħareġ	fetaħ	kiser

174

daħlet	ħarġet	fetħet	kisret
dħalna	ħriġna	ftaħna	ksirna
dħaltu	ħriġtu	ftaħtu	ksirtu
daħlu	ħarġu	fetħu	kisru

Exercise 3

1. waslet. 2. kienet. 3. għamlu. 4. ħarġu. 5. ftaħtu. 6. qagħdet bil-qiegħda. 7. qbiżt. 8. dħalt. 9. ftaħna. 10. ħarset. 11. għamiltu. 12. ħalaq. 13. ħriġt. 14. kiser, kisret.

Exercise 4

Il-bieraħ wasalt tard l-iskola. L-għalliem ma kienx fil-klassi. Għalhekk it-tfal kienu ferħanin. Marija tifla mqarba. Qabżet mit-tieqa, daħlet fil-ġnien u qatgħet tuffieħa. Kif (kienet dieħla) (daħlet) fil-klassi, l-għalliem fetaħ il-bieb.

"Hemm x'għandek f'idek?" qal l-għalliem.

"Xejn, Sir," qalet Marija.

It-tfal qagħdu bil-qiegħda u fetħu l-kotba. Il-lezzjoni kienet fuq in-natura.

"Min ħalaq in-natura?" qal l-għalliem.

"Alla ħalaq kollox, Sir," qal John.

"Min kienu l-ewwel bnedmin?"

"Adam u Eva."

"Kienu ferħanin fil-Ġnien ta' l-Eden?"

"Iva, Sir."

"X'għamlu?"

"Kisru l-kmand t'Alla; qatgħu tuffieħa."

6. FL-ARKA TA' NOE

Exercise 1

1. Daħlu għand wieħed bidwi. 2. Għandu ħafna annimali. 3. Għandu għaxar baqriet (għandu għaxra). 4. Għandu ħames żwiemel (għandu ħamsa). 5. Għandi … sena. 6. Ħames liri l-wieħed. 7. Le, mhux għaljin. 8. Ir-raġel kien moħħu fit-tiġieġ. 9. Fil-bitħa tal-bidwi hemm tmintax-il tiġieġa. 10. Fl-għalqa hemm ħafna aktar. 11. Il-ħmir biss m'hemmx. 12. Dak il-ħin daħal it-tifel iż-żgħir mill-iskola. 13. "Mela issa għandna l-annimali kollha fl-Arka ta' Noe."

Exercise 2

tliet baqriet; **sitt** kotba; **seba'** siġġijiet; żewġ tuffiħiet; tlett idjar; **għaxar** kmamar; **ħdax-il** tifel; **sittax-il** mara; **tlieta u għoxrin** lapes; ħamsa u tletin tifla; disgħa u disgħin ktieb; **mitt** baqra; **mitt** baqra u waħda; għandi ħamsa; għandu **tmienja**; għandna għaxra; għandna **sittax**.

175

Exercise 3
1. sittax. 2. erbgħin. 3. mija u tlieta u erbgħin. 4. erbgħa. 5. ħamsa u erbgħin.

Exercise 4
(Wieħed) raġel u (waħda) mara daħlu għand wieħed bidwi.
"Kemm għandek baqar?" qal ir-raġel.
"Sitta. Għandi sitt baqriet," qal il-bidwi.
"U kemm hemm żwiemel fl-għalqa?"
"Tlieta."
"Kemm huma l-ħnieżer iż-żgħar?"
"Għaxar liri l-wieħed."
"Mhux għaljin," qalet il-mara lir-raġel tagħha.
Imma r-raġel tagħha kien moħħu fit-tiġieġ.
"Marija, ara dawn it-tiġieġ kemm huma ħelwin!" qal ir-raġel.
"Kemm għandek tiġieġ f'din il-bitħa?" qalet il-mara.
"Tmintax. Ħawn għandi tmintax-il tiġieġa," qal il-bidwi.
"Hawn bħall-Arka ta' Noe," qal ir-raġel.
"Iva, għandna l-annimali kollha ... ħmar biss m'għandniex!" qal il-bidwi.
Dak il-ħin daħal it-tifel iż-żgħir mill-iskola.
"Pa, l-għalliem sejjaħli ħmar." qal it-tifel.
"Iva! Mela issa għandna l-annimali kollha fl-Arka ta' Noe!" qal il-bidwi.

7. L-INKWIET FID-DAR
Exercise 1
1. Il-missier jismu Ġanni. 2. Għandu erbgħin sena. 3. L-omm jisimha Tereża. 4. Għandha ħamsa u tletin. 5. Għandhom sebat itfal. 6. Għandha tmintax-il sena. 7. Fis-sitta u nofs. 8. Malli l-missier joħroġ (imur) għax-xogħol. 9. "Aħsel wiċċek. Margerit, aħsillu wiċċu lil Pawlu. Aħsilhulu. (etc.). 10. Fil-għaxija t-tfal jgħidu t-talb. 11. "Issa biżżejjed. Kulħadd fis-sodda. Il-lejl it-tajjeb." 12. Mal-papà u l-mamà quddiem it-television.

Exercise 2
(a) 1. libsithuli. 2. għamlithuli. 3. tahomli. 4. fetaħhieli. 5. tahulna.
(b) 1. aħsilhieli. 2. iktbuhomlna. 3. ifthuhulhom. 4. agħlquhielu. 5. agħmluhuli.

Exercise 3
Il-familja Gauċi hi familja kbira. Il-missier jismu Ġanni u l-omm jisimha Tereża. Għandhom sebat itfal, tliet subien u erbat ibniet. Ġanni għandu erbgħin sena u martu (l-mara tiegħu) għandha ħamsa u tletin. Kull filgħodu

176

Ġanni jmur kmieni għax-xogħol. Malli joħroġ, jibda l-inkwiet.
"Dik tiegħi."
"Le, mhix tiegħek, dik tiegħi."
"Fejn hi l-pupa tiegħi?"
"Fejn hu ż-żarbun tiegħi?"
"Pawlu, oqgħod kwiet."
Miskina l-omm! Kull filgħodu dejjem hekk.
"Aħsel wiċċek."
"Ħsiltu."
"Ilbes iż-żarbun."
"Ilbistu."
"Iftaħ (iftħu) it-tieqa." "Agħlaq (agħlqu) il-bieb."
Fil-għaxija l-istess inkwiet.
"Il-laħam iebes. Il-ħut bix-xewk. L-inbid mhux tajjeb ..."
Imma l-missier ma jgħid xejn. Fl-aħħar: "Issa biżżejjed."
It-tfal jgħidu t-talb ta' fil-għaxija u kulħadd jorqod (kulħadd fis-sodda).

8. UFFIĊĊJU TAT-TURIŻMU

Exercise 1
1. Marret fil-kamra tal-banju. 2. Ħaslet wiċċha. 3. Kienet taħdem fl-Uffiċċju tat-Turiżmu l-Belt. 4. Kienet toqgħod il-Gżira. 5. Marret il-belt bil-karozza tagħha. 6. Għax kien hemm ħafna traffiku. 7. Għal xi informazzjoni fuq it-turiżmu f'Malta u Għawdex. 8. Tixtieq tmur Għawdex. 9. Fid-disgħa. 10. Malli tasal il-karozza ċ-Ċirkewwa. 11. Tixtieq tmur Marsalforn. 12. Iva, hemm lukanda sabiħa ħafna. 13. Gremxul. 14. Biddgħajsa. 15. Marret tas-Sliema bil-karozza tal-linja.

Exercise 2

naħdem	ninżel	niftaħ	nagħmel	nidħol	niknes	noħroġ
taħdem	tinżel	tiftaħ	tagħmel	tidħol	tiknes	toħroġ
jaħdem	jinżel	jiftaħ	jagħmel	jidħol	jiknes	joħroġ
taħdem	tinżel	tiftaħ	tagħmel	tidħol	tiknes	toħroġ
naħdmu	ninżlu	niftħu	nagħmlu	nidħlu	nikinsu	noħorġu
taħdmu	tinżlu	tiftħu	tagħmlu	tidħlu	tikinsu	toħorġu
jaħdmu	jinżlu	jiftħu	jagħmlu	jidħlu	jikinsu	joħorġu

Exercise 3
"X'ħin hu issa?" "It-tmienja." Helen qabżet mis-sodda, marret fil-kamra tal-banju, ħaslet wiċċha, libset u marret bil-karozza tagħha l-uffiċċju l-Belt Valletta. Helen hi segretarja f'uffiċċju tat-Turiżmu. Waslet tard għax kien hemm ħafna traffiku.

"Bonġornu," qalet turista.
"Bonġornu, Sinjura, x'għandek bżonn?" qalet Helen.
"Nixtieq immur Għawdex; kif nagħmel?"
"Tieħu l-karozza tal-linja mill-belt (Valletta) għaċ-Ċirkewwa.
Il-karozza titlaq fid-disgħa. Miċ-Ċirkewwa tieħu l-vapur għal Għawdex."
"Imma issa d-disgħa nieqes ħamsa! Tard wisq."
"Trid tieħu taxi."
"Iva, imma għalja wisq."
Għalhekk iddeċidiet li tmur tas-Sliema.

9. SINJURA, ĦU PAĊENZJA

Exercise 1
1. Is-seftura tat-tabib kien jisimha Karmena. 2. Kienet tgħid lis-seftura
tagħha x'għandha tagħmel. 3. Karmena kienet tgħid dejjem 'iva' u qatt
'le'. 4. Kienet toqgħod bil-qiegħda u taħseb x'għandha tagħmel. 5. Marret
is-suq bil-qoffa fuq rasha u l-kappell f'idha. 6. "Kilo laħam taċ-ċanga." 7.
Fil-qoffa kien hemm il-ħaxix, il-bajd, il-frott u l-ġobon. 8. Kienet insiet il-
laħam għand tal-grocer. 9. Meta waslet lura d-dar kien (sar) nofs in-nhar.
10. Bdiet taqli l-laħam. 11. Le, l-ikel ma kienx lest. 12. Iva, is-Sinjura
Camilleri ilha tieħu paċenzja biha ħafna.

Exercise 2
1. iftħu. 2. iftħuhom. 3. agħlqu. 4. agħlquhom. 5. naħsilha. 6. jaħsluhom.
7. tiknisha. 8. iktibhieli. 9. agħtihomlhom. 10 rajtha fit-triq.

Exercise 3
Karmena kienet is-seftura tas-Sinjura Camilleri. Kienet mara tajba, iżda
kienet tinsa wisq. Kull filgħodu s-Sinjura kienet tgħidilha x'għandha
tagħmel, iżda malajr kienet tinsa kollox, u flok ħaġa tagħmel oħra. Flok il-
kmamar kienet taħsel il-kelb, flok il-bejt kienet tiknes il-bitħa, u flok it-
twieqi kienet tagħlaq il-bibien.
Darba waħda marret tixtri bil-qoffa fuq rasha u l-kappell f'idha. (Min)flok
għand tal-laħam, marret għand tal-ħaxix u talbet (talbitu) kilo laħam taċ-
ċanga. Kulħadd jidħak (daħak). Meta waslet lura d-dar, kien (sar) nofs in-
nhar. Daħlet (marret) fil-kċina u sabet li kienet insiet il-laħam għand tal-
grocer. Kellha toħroġ mill-ġdid. Meta s-Sinjura Camilleri ġiet lura, sabet
lil Karmena taqli l-laħam fil-kċina. Is-Sinjura Camilleri irrabjat ħafna li l-
ikel ma kienx għadu lest.

10. SINJURA, KOLLOX LEST

Exercise 1
1. Nofs in-nhar. 2. Iva, kienet għamlet kollox. 3. Iva, fetħithom. 4. Iva,

178

firxitha. 5. Iva, kinsitu. 6. Le, m'hemmx għalfejn. 7. Għax tagħmel kollox weħidha. 8. Tagħmlu ħażin. 9. L-ikel. 10. Imqarrun fil-forn. 11. Iva, għamlitu. 12. Ħaslitha, qasmitha fi tnejn u għamlitha mal-laħam. 13. Rat kollox ta' taħt fuq.

Exercise 2
1. iftaħhom. 2. ifrixha. 3. ikinsu. 4. aħsilha. 5. ixtrih. 6. nagħmilhom fuq il-mejda. 7. naqlih. 8. naqsamha. 9. nagħtihomlok. 10. nagħtuhomlhom. 11. kitibhielha. 12. aħsilhom.

Exercise 3
Meta s-Sinjura Camilleri waslet lura mill-Belt, kien sar nofs in-nhar.
"Għamilt kollox?" qalet (staqsiet) lil Karmena, is-seftura tagħha.
"Iva, Sinjura, kollox lest," qalet (wieġbet) Karmena.
"Kemm għandi seftura bil-għaqal!" qalet is-Sinjura.
"Issa, m'hemmx għalfejn ngħidlek aktar (dak li għandek) (x'għandek) tagħmel."
"Le. Nagħmel kollox waħdi."
Iżda (imma) Karmena tagħmel kollox ħażin. Illum m'għalqitx it-twieqi, u ma ħaslitx l-art.
"Issa x'qed tagħmel," staqsiet (qalet) is-Sinjura meta waslet (ġiet) lura mill-Belt.
"Imqarrun fil-forn," qalet is-seftura.
Iżda (imma) meta s-Sinjura fetħet il-bieb tal-kċina,
"X'waħda din! Xi storbju!" qalet.
Siġġijiet ma' l-art; duħħan ħiereġ mill-forn; platti maħmuġin fuq il-mejda ...
"Dan x'inhu?" staqsiet is-Sinjura ("Hawn x'għamilt?" qalet is-Sinjura).
"Xejn, Sinjura, kollox lest."

11. MIN XOROB IL-Whisky?

Exercise 1
1. Ingliżi. 2. Tmur hi stess tixtri. 3. Għaġin, te, kafè, ħobż, basal, patata, bittieħ, peržut, zokkor, butir, ross, bajd, melħ, bżar, ġobon u langas. 4. Tal-ħanut ħelu ħafna; dejjem jidħak. 5. "Bonġu Sinjura Johnson. Kif int dal-għodu? Tajba, hux?" 6. Jibagħtilha kollox id-dar mat-tifel. 7. Tereża hi s-seftura tas-Sinjura Johnson. 8. Tereża tagħmel ix-xogħol tad-dar. 9. Le, daqqa tifhem u daqqa ma tifhimx. 10. Qalilha taħsillu l-qmis u l-qalziet, timsaħlu l-iskrivanija, ma tiftaħlux it-twieqi tal-kamra tiegħu u tiktiblu xi ħaġa bil-Malti. 11. Is-Sur Johnson xorob il-whisky qabel ma ħareġ.

179

Exercise 2
1. nagħlaqhomlkom? 2. jiftaħhuli. 3. aqrahieli. 4. niknishulkom. 5. ifrixhielu.
6. naħsilhielu. 7. timsaħhielha. 8. tiftaħhilix. 9. tiktibhilix. 10. tixrobhulux.

Exercise 3
Huma Ingliżi u joqogħdu (jgħixu) Malta, u jgħidu xi erba' kelmiet bil-
Malti. Kull filgħodu jmorru jixtru u jgħidu lil tal-ħanut: "Dak kemm hu?"
Tal-ħanut ħelu ħafna u jwieġeb (jgħid) bil-Malti: "Dak lira l-kilo."
"Agħtina (tina, agħmlilna) żewġ kili, jekk jogħġbok."
"Iva, Sinjura; x'aktar (x'nagħmlilkom aktar)?"
"Tina (nixtiequ) tliet fliexken inbid, ħobża tal-Malti, kwart perżut, żewġ
fliexken ħalib, żewġ kili u nofs patata, ġobon, zokkor u butir."
"Iva, Sinjura, għamiltlek kollox (tajtek kollox). X'aktar, jekk jogħġbok?"
"Xejn aktar. Jekk jogħġbok, ibgħatli kollox mat-tifel għax sejrin il-Belt."
"Mela le, Sinjura."
"Grazzi."
"M'hcmmx imniex; Saħħa, Sinjura."

12. L-AĦBARIJIET TA' MALTA

Exercise 1
1. Kull filgħodu s-Sinjura Johnson tiftaħ il-ġurnal u tibda taqra. 2. Le, ma
tifhimx kollox iżda tgħidlek x'inhu jiġri Malta u Għawdex. 3. Is-seftura
taqralha xi kelma diffiċli. 4. It-tnejn flimkien jaqraw artikli twal. 5. Il-
bieraħ ġraw ħafna disgrazzji. 6. Sajjetta laqtet ħaddiem li kien qed jibni
dar u ħarqitu. 7. Tifel, li kien qed jiġri fuq il-bejt, waqa' mill-bejt għal isfel.
8. Karozza mxiet weħidha, daħlet f'ħanut u qatlet mara. 9. L-arloġġ tal-
knisja daqq nofs in-nhar. 10. Kienet insiet l-ikel. 11. Fuq in-nar kellha
kaboċċa kbira li kienet imliet bil-laħam. 12. Kellha tarmiha. 13. Ra lil
Marija, il-mara tat-tabib Camilleri. 14. Qaltilha biex tibqa' taqra l-
aħbarijiet bil-Malti ħalli titgħallem il-Malti.

Exercise 2
1. jikteb. 2. jilagħbu. 3. jaqra. 4. tarmi. 5. jmur. 6. nikteb. 7. jibni. 8. imla.
9. ixwi. 10 aqli.

Exercise 3
Kull filgħodu s-Sinjura Johnson tiftaħ il-ġurnal (gazzetta) u taqra bil-
Malti. Ma tifhimx kollox, imma tgħidlek x'inhu jiġri Malta. Is-seftura
(tagħha) tgħinha f'xi kelma diffċli u flimkien jaqraw artikli twal.
"Tereż, x'aħbarijiet għandna llum?" staqsiet (qalet) is-Sinjura.
"Aħbarijiet ħżiena!" wieġbet (qalet) is-seftura.
"Aqra din," kompliet, "sajjetta laqtet ħaddiem li kien (qed) jibni dar u

ħarqitu. Karozza qatlet (waħda) mara. Tifel waqa' minn fuq il-bejt (mill-bejt) għal isfel u miet."
Dak il-ħin l-arloġġ tal-knisja daqq nofs in-nhar.
"X'waħda din! L-ikel! Insejtu," qalet is-Sinjura.
Miskina, kellha tarmi kollox.
Meta r-raġel tagħha wasal (ġie) lura mill-Belt, qalilha li kien ra lil Marija, il-mara tat-tabib.

13. IL-KATIDRAL TA' SAN ĠWANN

Exercise 1
1. Ilhom Malta tliet snin. 2. Ilhom sentejn jistudjaw il-Malti. 3. Fid-disgħa. 4. Għax ried iżur il-Katidral ta' San Ġwann. 5. Sabu ħafna turisti Ingliżi u Ġermaniżi. 6. Wieħed raġel kien qed jgħidilhom xi ħaġa fuq il-pittura ta' Caravaggio. 7. Mal-ħajt tal-knisja hemm monumenti tal-Grammastri tal-Ordni. 8. Fil-pittura tas-saqaf hemm il-ħajja ta' San Ġwann. 9. Meta kien fid-deżert San Ġwann ried isum għal ħafna jiem. 10. Dam siegħa sħiħa jżur il-pitturi l-oħra. 11. Is-Sinjuri Johnson niżlu fil-kripta, taħt l-art. 12. Fil-kripta hemm il-qabar ta' Jean Parisot de la Valette, il-famuż Grammastru tal-Assedju l-Kbir.

Exercise 2
1. iqum. 2. tqum. 3. żżur. 4. inżur. 5. taqra. 6. żżuru. 7. mietu. 8. isum. 9. niżlu.

Exercise 3
Is-Sinjuri Johnson ilhom tliet snin Malta. Il-bieraħ qamu kmieni u marru l-Belt iżuru l-Katidral ta' San Ġwann. Meta waslu, il-knisja kienet mimlija turisti. Gwida Malti kien (qed) jitkellem fuq Caravaggio, il-pittur tal-pittura famuża, 'Qtugħ ir-ras ta' San Ġwann'. Xi ġmiel ta' pittura!
Il-knisja mimlija pitturi u monumenti ta' Kavalieri u Grammastri. Il-pittura tas-saqaf turi l-ħajja ta' San Ġwann. Wara li daru l-knisja, is-Sinjuri Johnson niżlu fil-kripta, fejn (huma) raw il-qabar ta' Jean Parisot de la Valette, il-famuż Grammastru tal-Assedju l-Kbir ta' l-1565 (l-elf, ħames mija u ħamsa u sittin).

14. IL-KARNIVAL F'MALTA

Exercise 1
1. Fir-Randan ħafna Maltin kienu jsumu. 2. Qabel ma jsumu jagħmlu tlett ijiem Karnival. 3. Il-Ħadd, it-Tnejn u t-Tlieta qabel l-Erbgħa ta' l-Irmied. 4. Ir-Re tal-Karnival jiftaħ il-purċissjoni tal-karrijiet. 5. Għandu kuruna tad-deheb. 6. Fit-toroq tal-Belt tara l-purċissjoni tal-karrijiet. 7. Fil-pjazza

ta' wara l-bieb tal-Belt tara ż-żfin u l-kostumi. 8. Iva, il-kostumi huma sbieħ ħafna. 9. In-nies kollha jgħidu xi ħaġa fuq kemm huma sbieħ iż-żfin u l-kostumi. 10. Diffiċli tagħżel min hu l-isbaħ. 11. Min jiġi l-ewwel jieħu premju sabiħ ħafna. 12. It-Tlieta jsir minn kollox, karrijiet fit-toroq u żfin fil-pjazza.

Exercise 2
(a) 1. itwal. 2. irqaq. 3. isbaħ. 4. iżgħar. 5. itqal.
(b) 1. l-iżjed (l-aktar). 2. l-itwal. 3. l-itqal. 4. l-itjeb. 5. l-eqdem. 6. l-isbaħ.

Exercise 3
Il-Karnival f'Malta jiġi tlett ijiem qabel l-Erbgħa ta' l-Irmied, meta jibda r-Randan. Malta kollha (nies mill-Gżira kollha) tmur (jmorru) il-Belt (biex) tara (jaraw) il-karrijiet sbieħ li jgħaddu mit-toroq tal-Belt. Il-Ħadd ir-Re tal-Karnival jiftaħ il-purċissjoni (tal-karrijiet). Il-pjazza ta' wara bieb il-Belt (l-bieb tal-Belt) tkun imżejna bil-bandieri, u n-nies bil-qiegħda madwar il-pjazza jaraw iż-żfin taż-żgħażagħ, subien u bniet lebsin kostumi sbieħ ħafna. Diffiċli tagħżel l-isbaħ kostum, l-aħjar karru u l-aħjar (l-isbaħ) żifna. Kollha sbieħ. Min jirbaħ jieħu premju. Kulħadd irid jirbaħ iżda ftit biss jieħdu l-premju. It-Tlieta filgħaxija, meta jidlam, il-kbar imorru lejn djarhom jorqdu għax l-għada jibda r-Randan, u … s-sawm!

15. L-GĦID IT-TAJJEB

Exercise 1
1. Ir-Randan jibda l-Erbgħa ta' l-Irmied, (kif jgħaddi l-Karnival). 2. Ir-Randan idum erbgħin jum. 3. Fir-Randan in-nies jitolbu u jsumu. 4. Fl-Erbgħa ta' l-Irmied il-qassis jitfa' ftit irmied fuq ras in-nies. 5. Isiru purċissjonijiet bil-vara tad-Duluri fil-bliet u l-irħula Maltin kollha. 6. Fil-Ġimgħa l-Kbira jkun hemm purċissjoni bil-vari. 7. Il-vari juru l-passjoni ta' Kristu. 8. Iva, il-purċissjoni ddum ħafna sakemm terġa' tidħol fil-knisja. 9. Wara x-xitwa tiġi r-rebbiegħa. 10. Wara r-Randan jiġi l-Għid il-Kbir. 11. Fl-Għid il-Kbir Kristu qam mill-mewt. 12. Fl-Għid it-tfal huma ferħanin bil-bajd u l-figolli (tal-Għid). 13. In-nies jgħidu; "L-Għid it-Tajjeb."

Exercise 4
Ir-Randan hu żmien ta' sawm u talb. L-Erbgħa ta' l-Irmied il-qassis jitfa' ftit irmied fuq ras in-nies. Ġimgħa qabel il-Ġimgħa l-Kbira jkun hemm purċissjonijiet bil-vara tad-Duluri f'ħafna bliet u rħula Maltin (ta' Malta), u ħafna nies jieħdu sehem (ħa sehem = to take part). Fil-Ġimgħa l-Kbira jkun hemm il-Belt purċissjoni b'ħafna vari li juru l-passjoni ta' Kristu. Il-purċissjoni ddum biex tgħaddi mit-toroq tal-Belt. Fl-aħħar ikun hemm

banda u kor ikanta ħafna innijiet reliġjużi. Ir-Randan jagħlaq fl-Għid il-Kbir, l-ikbar festa tal-knisja. Dak in-nhar (jum) Kristu qam mill-mewt. Kulħadd ferħan l-aktar it-tfal bil-bajd u l-figolli tal-Għid. "L-Għid it-Tajjeb." "Lilek ukoll," jgħidu n-nies kif joħorġu mill-knisja.

16. ĦELES MILL-MEWT

Exercise 1

1. Iva, in-nies kienu jħobbuh lil Fra Ċelest. 2. Kien raġel ibigħ is-saħħa, ftit qasir imma ħafif daqs gidi. 3. Kien jiġbor ħafna flus għall-festa tar-raħal. 4. Iva, in-nies kienu jagħtuh ħafna flus. 5. Wieħed ħalliel. 6. Ried il-flus li Fra Ċelest kellu fil-ħorġa. 7. Kellu xkubetta f'idu. 8. "Kull m'għandi kollu tiegħek jekk inti tħallini (let me, from ħalla, to let) nagħmel il-ħorġa fuq il-ħajt u inti tiġbed fuqha. 9. Għax b'hekk il-Gwardjan ma jaħsibx ħażin fih. 10. Fra Ċelest. 11. Il-ħalliel. 12. Il-ħorġa saret trab. 13. Fra Ċelest qabdu minn dirgħajh, rassu miegħu u daqqlu tnejn fuq rasu kif jaf hu. 14. Lis-sagristan. 15. "Agħmel din l-ixkubetta quddiem l-istatwa ta' San Franġisk. Din wegħda ta' wieħed raġel talli ħeles mill-mewt."

Exercise 2

1. jħobbu 2. tħobb 3. nħobbu 4. inħobb 5. iħott 6. jġorr 7. għadd 8. tgħodd 9. ngħodd

Exercise 3

Past

raddejt	daqqejt	temmejt	messejt
raddejt	daqqejt	temmejt	messejt
radd	daqq	temm	mess
raddet	daqqet	temmet	messet
raddejna	daqqejna	temmejna	messejna
raddejtu	daqqejtu	temmejtu	messejtu
raddew	daqqew	temmew	messew

Present

rrodd	ndoqq	ntemm	mmiss
trodd	ddoqq	ttemm	tmiss
irodd	idoqq	itemm	imiss
trodd	ddoqq	ttemm	tmiss
rroddu	ndoqqu	ntemmu	mmissu
troddu	ddoqqu	ttemmu	tmissu
iroddu	idoqqu	itemmu	imissu

183

Exercise 4

Kulħadd kien iħobbu 'l Fra Ċelest għax kellu qalbu f'idu (qalbu tajba) u dejjem kien jgħin lil oħrajn. Kien iħobbha ħafna l-festa tar-raħal u kien jiġbor (flus) għaliha aktar minn ħaddieħor. Kien jgħaddi l-ġurnata kollha (l-jum kollu) jħabbat il-bibien tan-nies u jitlob il-flus għall-festa l-kbira. Darba waħda kif kien sejjer lura lejn il-kunvent, feġġ ħalliel minn wara ħajt u talbu l-flus li kellu fil-ħorġa. Fra Ċelest ħass demmu jagħli imma ma tilifx is-sabar.

"Kull m'għandi kollu tiegħek jekk tagħmel dak li ngħidlek jien," qallu Fra Ċelest.

"Kull m'għandek tagħmel hu li tiġbed fuq il-ħorġa li sa ndendel fuq il-ħajt. Trid?"

"Iva rrid."

Il-ħalliel rafa' l-ixkubetta u ġibed.

Il-ħorġa saret trab.

Fra Ċelest kien pront qabdu minn dirgħajh, u waqqgħu. Ġabar il-flus u telaq lejn il-kunvent. Qiegħed (he put) l-ixkubetta quddiem l-istatwa ta' San Franġisk bħala wegħda ta' wieħed raġel li kien ħeles mill-mewt.

17. MALTA FIL-GWERRA

Exercise 1

1. Il-Festa ta' Santa Marija tiġi fil-ħmistax t'Awissu. 2. Din il-festa tfakkarna fi tlugħ il-Madonna fis-sema. 3. Il-convoy wasal Malta fil-ħmistax t'Awissu. 4. Le, ma kien baqgħalhom xejn ikel. 5. L-ajruplani tal-għadu kienu jitilgħu minn Sqallija. 6. Iva, għerqu ħafna vapuri u mietu ħafna nies. 7. Iva, fil-gwerra waqgħu ħafna djar f'Malta. 8. Ħamsin sena wara bnew Monument tal-Gwerra ħdejn il-Barrakka t'Isfel u ġiet ir-Reġina Eliżabetta biex tiftħu. 9. Il-festa tal-Vitorja tiġi fit-tmienja ta' Settembru. 10. Din il-festa tfakkarna fir-rebħa tal-Kavalieri u l-Maltin fuq it-Torok fl-Assedju l-Kbir tal-1565. 11. Isiru tlielaq tad-dgħajjes u ħafna ċerimonji reliġjużi, militari u ċivili. 12. Iva, fis-sajf isiru ħafna festi f'Malta. 13. Iva, fis-sajf tagħmel ħafna sħana f'Malta. 14. Le, ma tagħmilx xita fis-sajf f'Malta.

Exercise 2

1. naqraw 2. qrajt 3. agħmel (agħmlu) 4. tilgħab 5. taf, tistax 6. ixgħel (ixegħlu) 7. bagħat 8. jibża' 9. nitla'

Exercise 3

Fil-ħmistax t'Awissu, 1942, il-famuż convoy ta' Santa Marija wasal fil-Port il-Kbir. Li kieku ma kienx għal dak il-convoy, Malta kienet iċċedi, għax dak iż-żmien (dik il-ħabta) ma kienx baqa' aktar ikel fil-Gżira. Ħafna

184

baħrin u nies ta' l-ajru mietu, ħafna vapuri għerqu u ħafna ajruplani waqgħu. Meta l-convoy daħal fil-Port il-Kbir, il-Maltin taw merħba kbira lil dawk in-nies qalbiena (qalbenin).

Ħamsin sena wara r-Reġina Eliżabetta t-tieni fetħet (inawgurat) il-Monument tal-Gwerra li bnew ħdejn il-Barrakka t'Isfel. Fit-tmienja ta' Settembru niċċelebraw ir-rebħa tal-Kavalieri fuq it-Torok fl-1565. Dak in-nhar (jum) ikun hemm tlielaq tad-dgħajjes fil-Port il-Kbir, u ħafna nies imorru jarawhom minn fuq is-swar ta' madwar il-Port. Ikun hemm ukoll ċerimonji ċivili u reliġjużi fil-Belt u f'ħafna parroċċi ta' Malta u Għawdex. Din il-festa nazzjonali hi l-aħħar waħda mill-ħafna festi li għandna fis-sajf f'dawn il-Gżejjer.

18. MALTA, REPUBBLIKA INDIPENDENTI

Exercise 1

1. Il-kelma Randan tfisser żmien ta' talb u sawm, li jiġi qabel il-Ġimgħa l-Kbira. 2. Insibuhom fid-dinja Musulmana Għarbija. 3. Ħafna kliem Malti ġej mill-Għarbi. 4. Ifakkarna fil-ħakma Għarbija f'Malta. 5. Il-Maltin kienu Nsara meta ġew l-Għarab Malta. 6. San Pawl ġie Malta fis-sena 60 w.K. 7. Il-baħar qawwi kissru mal-blat tagħna. 8. Kienu jħallsu l-ħaraġ. 9. L-Insara kienu qaddejja. 10. In-Normanni ġew Malta fl-1090. 11. L-Għarab tawna l-ilsien Għarbi tagħhom. 12. Wara n-Normanni ġew l-Ispanjoli, il-Kavalieri, il-Franċiżi u fl-aħħar l-Ingliżi. 13. Għax daħħalna fih ħafna kliem Taljan, Sqalli u Ingliż. 14. Malta saret Repubblika fil-21 ta' Settembru, 1964. 15. L-indipendenza tfisser ħelsien mill-kolonjaliżmu iżda tfisser ukoll responsabbiltà. 16. Aħna l-Maltin għandna nibżgħu għal wirt missirijietna, għad-drawwiet, l-ilsien u l-prinċipji nsara li ħallewlna huma.

Exercise 2

Past

biddilt	daħħalt	xerridt	fissirt
biddilt	daħħalt	xerridt	fissirt
biddel	daħħal	xerred	fisser
biddlet	daħħlet	xerrdet	fissret
biddilna	daħħalna	xerridna	fissirna
biddiltu	daħħaltu	xerridtu	fissirtu .
biddlu	daħħlu	xerrdu	fissru

Present

nbiddel	ndaħħal	nxerred	nfisser
tbiddel	ddaħħal	xxerred	tfisser

185

ibiddel	idaħħal	ixerred	ifisser
tbiddel	ddaħħal	xxerred	tfisser
nbiddlu	ndaħħlu	nxerrdu	nfissru
tbiddlu	ddaħħlu	xxerrdu	tfissru
ibiddlu	idaħħlu	ixerrdu	ifissru

Exercise 3
1. tfisser 2. biddilna, daħħalna 3. ġew 4. saru 5. ġew 6. tawna 7. saret.

Exercise 4
Daħħalna ħafna kliem Għarbi fir-reliġjon Nisranija tagħna. Dan il-kliem ifakkarna fil-ħakma Għarbija f'Malta li bdiet fis-sena 870 w.K. Dak iż-żmien il-Maltin kienu Nsara. Missirijietna kienu baqgħu Nsara minn żmien San Pawl li ġie Malta fis-sena 60 w.K. Matul il-ħakma Għarbija xi Maltin saru Musulmani, oħrajn baqgħu Nsara. Dawn l-Insara kellhom iħallsu taxxa speċjali, imsejħa 'ħaraġ'. L-Għarab daħħlu f'Malta ħafna siġar, bħall-qoton, il-lariġ, il-lumi, eċċ. Huma tawna l-ilsien tagħhom, li għadna nitkellmuh sal-ġurnata tal-lum. Matul il-ħafna ħakmiet barranija (barranin), daħħalna ħafna kliem mit-Taljan, Sqalli u Ingliż, għalhekk l-ilsien (il-lingwa) li nitkellmu llum mhux (mhix) Għarbi (Għarbija) iżda Malti (Maltija), għalkemm il-grammatika u l-kliem ewlieni (primittiv) huma fis-sisien tagħhom Għarab. Il-pronunzja tbiddlet ukoll minħabba l-influwenza barranija. Malta saret indipendenti fil-21 ta' Settembru, 1964.

19. KOLLOX SARLU TRAB

Exercise 1
1. Le, Salvu ma kienx iħobbu x-xogħol. 2. Kien iqiegħed rasu fuq il-mejda u jerġa' jorqod. 3. Le, martu, Rita, kienet tħobb taħdem. 4. Rita xtaqet li jsiefru biex forsi r-raġel tagħha jinbidel. 5. Le, Salvu ma nbidilx, baqa' li kien. 6. "Jekk trid li nsiru sinjuri trid taħdem inti wkoll." 7. Għax kienet tgħir għal dawk in-nies sinjuri. 8. Ra mara sabiħa quddiemu. 9. "Ara, dawn il-flus kollha għalik." 10. Bdiet timlihielu bil-flus li nbidlu f'deheb. 11. "Issa mimlija sa fuq, aħjar nieqaf." 12. L-ixkora nqasmet (broke). 13. Sar trab. 14. Beda jibki. 15. "Rit, illum sibt xortija fit-triq."

Exercise 2
Past

weġibt	wegħedt	fehemt	ġegħelt
weġibt	wegħedt	fehemt	ġegħelt
wieġeb	wiegħed	fiehem	ġiegħel
wieġbet	wiegħdet	fiehmet	ġiegħlet
weġibna	wegħedna	fehemna	ġegħelna

weġibtu	wegħedtu	fehemtu	ġegħeltu
wieġbu	wiegħdu	fiehmu	ġiegħlu

Present

nwieġeb	nwiegħed	nfiehem	nġiegħel
twieġeb	twiegħed	tfiehem	ġġiegħel
iwieġeb	iwiegħed	ifiehem	iġiegħel
twieġeb	twiegħed	tfiehem	ġġiegħel
nwieġbu	nwiegħdu	nfiehmu	nġiegħlu
twieġbu	twiegħdu	tfiehmu	ġġiegħlu
iwieġbu	iwiegħdu	ifiehmu	iġiegħlu

Exercise 3

1. bierek 2. iġiegħel 3. fehemni 4. jriegħed 5. żżiegħel 6. wiegħed lil martu (wegħedha) 7. qiegħed (qiegħdu) 8. ħarset.

Exercise 4

Salvu kien għażżien. Qatt ma kien jaħdem iżda kien iġiegħel lil martu, Rita, taħdem ħafna. Hi kienet ambizzjuża u xtaqet (riedet) issir sinjura bħall-ġirien tagħha. Kienet iżżiegħel bir-raġel tagħha u sikwit kienet tgħidlu, "jekk trid li nsiru sinjuri trid taħdem inti ukoll."
Kien jidħak u jwieġeb: "Tibżax, Rita. Xi darba nsiru sinjuri."
Lejla waħda, waqt li kien miexi u jaħseb fuq il-flus, ra mara sabiħa ħafna, liebsa l-abjad.
"Int min int?" staqsa (qal) Salvu.
"Ħafna nies isejħuli x-xorti. Jiena sinjura (għanja) ħafna u nagħmel lin-nies sinjuri (għonja). Inti trid issir sinjur (għani)?"
"Iva, iva, irrid," wieġeb Salvu.
"Newwilli l-ixkora. Ara, dak (il-flus) li jaqa' (jaqgħu) fl-ixkora jsirlek (isirulek) deheb, dak (dawk) li jaqa' (jaqgħu) fl-art isirlek (isirulek) trab. Fhimt?"
Imma Salvu nesa dan il-kliem u ħallieha timlielu l-ixkora qadima tiegħu sa fuq, sakemm inqasmet u l-flus kollha sarulu trab. Issa kien ifqar milli kien qabel.

20. L-AGĦMA JARA T-TELEVISION

Exercise 1

1. Hemm wieħed agħma. 2. Jgħidu li twieled agħma. 3. Għandu tabella: 'AGĦMA'. 4. Meta jimxi jitwieżen fuq bastun oħxon. 5. Darba wieħed sinjur tefagħlu munita ta' għaxar ċenteżmi. 6. Il-karozza kienet ipparkjata fi Triq Merkanti. 7. "Hawn Sinjur, din il-munita li għadek kemm tfajtli mhix tajba." 8. Għax kienet Taljana u mhux Maltija. 9. Le, ma kienx

187

agħma. 10. Minflok ħuh. 11. Le. 12. Għax seta' jara t-television. 13. Iva, reġa' tah munita oħra ta' għaxar ċenteżmi. 14. "X'int tgħidlu t-tifel. Mhux veru! Dak it-tallab twieled agħma." 15. Kienet ċajta kbira.

Exercise 2

Past

tkellimt	tkissirt	twelidt	tregħedt
tkellimt	tkissirt	twelidt	tregħedt
tkellem	tkisser	twieled	triegħed
tkellmet	tkissret	twieldet	triegħdet
tkellimna	tkissirna	twelidna	tregħedna
tkellimtu	tkissirtu	twelidtu	tregħedtu
tkellmu	tkissru	twieldu	triegħdu

Present

nitkellem	nitkisser	nitwieled	nitriegħed
titkellem	titkisser	titwieled	titriegħed
jitkellem	jitkisser	jitwieled	jitriegħed
titkellem	titkisser	titwieled	titriegħed
nitkellmu	nitkissru	nitwieldu	nitriegħdu
titkellmu	titkissru	titwieldu	titriegħdu
jitkellmu	jitkissru	jitwieldu	jitriegħdu

Exercise 3
1. titgħallem 2. tgħallimt 3. titkellem 4. ssellifna 5. nixxemmex 6. jittallab 7. twelidt 8. jitriegħed 9. tbegħedna 10. jitwieżen 11. tqabdu.

Exercise 4
Fil-bieb tal-Katidral hemm raġel agħma jitlob il-karità. Jgħidu li twieled agħma. Għandu tabella bil-kelma 'AGĦMA' f'ħoġru (in his lap), iżda ħadd ma jaf sew.

Darba waħda wieħed sinjur għadda minn ħdejh u tefagħlu munita ta' ħamsin ċenteżmu fil-kappell tiegħu. Hu u sejjer (kif kien sejjer) lura d-dar, it-tallab għarfu, waqqfu, u qallu: "Skużi (hawn), Sinjur, din il-munita ta' 50 ċenteżmu, li inti tajtni dal-għodu, mhix Maltija iżda Awstraljana." Is-Sinjur ħa l-munita f'idu, flieha u qal: "Tassew, għandek raġun, imma kif qed tara lili u l-munita tiegħi tant tajjeb, jekk inti agħma?"

"Le, Sinjur, jiena m'iniex agħma, hija agħma. Illum ġejt minfloku," wieġeb it-tallab.

"U llum fejn hu ħuk?"

"Mar jixtri television," wieġeb it-tallab.

Is-Sinjur kien ħelu ħafna. Ma qal xejn iżda telaq jidħak kemm jiflaħ.

21. ĦALLIEL TAL-ĦALLELIN

Exercise 1

1. Xtaq jaqta' xi ftit injam. 2. Biex isaħħan id-dar tiegħu għax kien il-bard. 3. Mar fil-Foresta l-Ħadra. 4. Kienu jgħidu li fiha nsterqu ħafna nies, li nstamgħu ħsejjes kbar ta' żwiemel u anke li nstabu xi igsma mejta fl-art. 5. Għax kien waħdu, u ma setax isib it-triq. 6. Sama' ħsejjes ta' żwiemel gejjin lejh. 7. Kien hemm erbgħin ħalliel. 8. Wieħed minnhom mar quddiem blata u qal: "Infetaħ". 9. Iva, il-gebla nfetħet. 10. Kellhom xkejjer mimlijin bid-deheb. 11. Ħareg malajr minn wara sigra u għamel bħalhom, u ħadilhom id-deheb kollu. 12. Ħasbitu fis-sakra. 13. Iva, saru sinjuri għal ħajjithom kollha. 14. Le, minn dak in-nhar il-ħsejjes taż-żwiemel ma baqgħux jinstamgħu aktar.

Exercise 2

Past

ngħalaqt	nktibt	ntbagħatt	ntrabatt	nstraqt
ngħalaqt	nktibt	ntbagħatt	ntrabatt	nstraqt
ngħalaq	nkiteb	ntbagħat	ntrabat	nsteraq
ngħalqet	nkitbet	ntbagħtet	ntrabtet	nsterqet
ngħalaqna	nktibna	ntbagħatna	ntrabatna	nstraqna
ngħalaqtu	nktibtu	ntbagħattu	ntrabattu	nstraqtu
ngħalqu	nkitbu	ntbagħtu	ntrabtu	nsterqu

Present

ningħalaq	ninkiteb	nintbagħat	nintrabat	ninsteraq
tingħalaq	tinkiteb	tintbagħat	tintrabat	tinsteraq
jingħalaq	jinkiteb	jintbagħat	jintrabat	jinsteraq
tingħalaq	tinkiteb	tintbagħat	tintrabat	tinsteraq
ningħalqu	ninkitbu	nintbagħtu	nintrabtu	ninsterqu
tingħalqu	tinkitbu	tintbagħtu	tintrabtu	tinsterqu
jingħalqu	jinkitbu	jintbagħtu	jintrabtu	jinsterqu

Exercise 3

1. ngħalqet 2. nfetħu 3. ntilfet 4. nħarqet 5. nqabdu 6. jiftaħar 7. jiftakar 8. tistabar 9. ftaqret 10. ltqajna 11. tixtieq 12. tixtri 13. ntesa.

Exercise 4

L-istorja t'Ali Baba hi magħrufa ħafna. Jgħidu li lejla waħda xitwija Ali xtaq jaqta' xi ftit injam mill-foresta biex isaħħan id-dar tiegħu (daru). Meta wasal (kien) hemm, f'daqqa waħda sama' ħsejjes ta' żwiemel gejjin lejh. Inħeba wara sigra u ra erbgħin ragel neżlin minn fuq iż-żiemel. Wieħed minnhom waqaf quddiem blata kbira u qal: "Infetaħ", u gebla kbira

189

nfetħet. L-irġiel daħlu fl-għar u wara għaxar minuti reġgħu ħarġu. Fuq daharhom kellhom xkejjer mimlijin bid-deheb (deheb). Wieħed minnhom qal lill-ġebla: "Ingħalaq", u l-ġebla ngħalqet. Meta l-ħallelin telqu, Ali għamel bħalhom. Serqilhom id-deheb kollu tagħhom u mar lura d-dar. Il-mara tiegħu (martu) ma reditx temmnu, iżda fl-aħħar aċċettat id-deheb tiegħu, u saru sinjuri ħafna.

22. MIN JISTENNA JITHENNA

Exercise 1

1. Sid il-kelb xtaq jagħti ikla kbira lill-ħbieb tiegħu. 2. Feraħ ħafna. 3. Mar sas-suq. 4. Iltaqa' mal-kelb l-abjad. 5. Kien (qed) jistkenn taħt mejda. 6. Stiednu għall-ikla. 7. Iva, aċċettaha. 8. Tkellmu fuq kemm ikel tajjeb sa jieklu u kemm ħalib sa jixorbu. 9. Ma' klieb oħra, ħbieb tal-kelb l-abjad. 10. Talbuh imorru huma wkoll għall-ikla. 11. "Le, intom le. Dan il-kelb lili biss stieden, mhux lilkom." 12. Kif rawh, qabduh minn denbu u xeħtuh 'il barra. 13. Iva, staħa ħafna minnhom. 14. Il-qaddejja rmew il-fdal tal-ikel barra. 15. Il-klieb l-oħra għamlu festa u marru d-dar żaqqhom mimlija. 16. Min jistenna jithenna.

Exercise 2

Past

stagħġibt	stagħnejt	ħdart	ċkint
stagħġibt	stagħnejt	ħdart	ċkint
stagħġeb	stagħna	ħdar	ċkien
stagħġbet	stagħniet	ħdaret	ċkienet
stagħġibna	stagħnejna	ħdarna	ċkinna
stagħġibtu	stagħnejtu	ħdartu	ċkintu
stagħġbu	stagħnew	ħdaru	ċkienu

Present

nistagħġeb	nistagħna	niħdar	niċkien
tistagħġeb	tistagħna	tiħdar	tiċkien
jistagħġeb	jistagħna	jiħdar	jiċkien
tistagħġeb	tistagħna	tiħdar	tiċkien
nistagħġbu	nistagħnew	niħdaru	niċkienu
tistagħġbu	tistagħnew	tiħdaru	tiċkienu
jistagħġbu	jistagħnew	jiħdaru	jiċkienu

Exercise 3

1. stħat 2. bjadet 3. tjiebet 4. nixjieħ 5. streħajna 6. nistenbah 7. staqsiet 8. jistaħbew 9. jistagħnew 10. nuri 11. stagħġbu.

Exercise 4

Sid il-kelb stieden ħafna ħbieb għall-ikla kbira tiegħu. Il-kelb tiegħu stenna l-bieb tal-kċina jinfetaħ u mar sas-suq (biex) jistieden kelb abjad, ħabib kbir tiegħu, li kien rieqed taħt mejda. Ħabibu (Il-ħabib tiegħu) aċċetta l-istedina (invitation) malajr. Huma u sejrin (Fit-triq) lura lejn id-dar, iltaqgħu ma' klieb oħra li xtaqu wkoll imorru għall-ikla. Iżda l-kelb l-abjad ma riedx. Għalhekk kellhom jistennew barra l-bieb. Kif (meta) l-qaddejja raw il-kelb l-abjad ġewwa (fil-) l-kċina, qabduh minn denbu u xeħtuh 'il barra. Staħa mill-klieb l-oħra, baxxa rasu, denbu ċkien u telaq ('l hemm). Meta spiċċat l-ikla, il-qaddejja rmew il-fdal tal-ikel, u l-klieb l-oħra għamlu festa kbira. Kienu ferħanin ħafna u marru d-dar żaqqhom mimlija.

23. DAWN L-IMBERKIN FESTI!

Exercise 1

1. Kien jibża' ħafna li jisirquh. 2. Kamartu (Il-kamra tiegħu) kienet tkun dejjem mudlama, it-twieqi magħluqin u l-bieb imsakkar bil-muftieħ. 3. Kien iżerżaq malajr mejda tqila, iċaqlaq vażun kbir fuqha u jgerger u jgemgem min sata' kien. 4. Martu, Filomena, xtaqet tmur l-Imdina għall-festa ta' l-Imnarja. 5. Is-Sur Tonin twerwer li għall-ewwel darba f'għomru kellu jħalli daru weħidha. 6. Daħlu l-Katidral u daru l-belt kollha. 7. Waslu lura d-dar fis-sebgħa ta' filgħaxija. 8. Għax ma satax isib il-muftieħ. 9. Kien ħallieh fuq il-mejda. 10. Rat id-dawl ġewwa. 11. Ġabu sellum twil. 12. Il-pulizija tela' mas-sellum, kisser tieqa żgħira u daħal ġewwa. 13. Sab qattus. 14. Is-Sur Tonin kien nesa d-dawl fil-kċina qabel ma ħarġu.

Exercise 2

Past

gergirt	werżaqt	twerwirt	tqarbint
gergirt	werżaqt	twerwirt	tqarbint
gerger	werżaq	twerwer	tqarben
gergret	werżqet	twerwret	tqarbnet
gergirna	werżaqna	twerwirna	tqarbinna
gergirtu	werżaqtu	twewirtu	tqarbintu
gergru	werżqu	twerwru	tqarbnu

Present

ngerger	nwerżaq	nitwerwer	nitqarben
tgerger	twerżaq	titwerwer	titqarben
igerger	iwerżaq	jitwerwer	jitqarben
tgerger	twerżaq	titwerwer	titqarben

ngergru	nwerżqu	nitwerwru	ħitqarbnu
tgergru	twerżqu	titwerwru	titqarbnu
igergru	iwerżqu	jitwerwru	jitqarbnu

Exercise 3

1. msakkrin (msakkra, fem. used instead of the pl.) 2. miftuħa 3. mudlama
4. magħluqin (magħluqa) 5. mwerwer 6. tfixklet 7. tgerger 8. ċaqlaqt 9.
jwerżqu.

Exercise 4

Is-Sur Tonin kien jibża' ħafna li jisirquh. Għalhekk qatt ma ħalla d-dar
tiegħu weħidha. Iżda darba waħda martu (il-mara tiegħu), Filomena,
xtaqet tmur l-Imdina għall-festa tradizzjonali ta' l-Imnarja. Sakkru (qaflu)
l-bibien u t-twieqi kollha, marru l-Katidral ta' l-Imdina, daru l-belt sabiħa
u fis-sebgħa ta' filgħaxija ġa (already) kienu quddiem id-dar tagħhom.
Iżda s-Sur Tonin ma setax isib il-muftieħ. Miskina Filomena, weħlet hi.
Ġabu sellum twil mill-knisja tal-parroċċa u wieħed żagħżugħ tela' miegħu,
kisser tieqa u qabeż ġewwa. Sab il-muftieħ fuq il-mejda tal-kċina, fetaħ il-
bieb ta' barra u kulħadd daħal. Is-Sur Tonin kien ferħan li l-biċċa spiċċat
kif spiċċat, imma ta kelma (to give one's word) li qatt iżjed ma jerġa' jħalli
d-dar weħidha.

24. JORQOD MAL-FATATI

Exercise 1

1. Is-Sur Johnson ilu sena jistudja l-Malti. 2. Ma jafx jesprimi ruħu wisq
tajjeb. 3. Jaqra artikli ta' ġurnali li jittrattaw fuq l-arti. 4. Iħobb ipinġi. 5.
Le, ma jħobbx l-iskultura daqs il-pittura. 6. Għandu ħafna kwadri ta'
veduti ta' Malta u t'artisti barranin. 7. John iħobb jilgħab il-futbol. 8.
Missieru jirrabja miegħu għax ma jobdix. 9. Ħabat rasu mal-lasta, storda
u ħaduh l-isptar. 10. Is-Sinjura Johnson tħobb il-kant. 11. Ix-xufier tagħha
skiddja bil-karozza u korra sew. 12. Is-seftura qiegħda ssuq il-karozza tas-
Sinjura. 13. Għaxar liri. 14. Tibża' mill-fatati. 15. Meta torqod titfa' ħames
kutri fuqha u taħbi wiċċha taħt il-liżar. 16. Darba s-Sur Johnson libes ta'
fatat u daħal bil-mod fil-kamra tas-seftura. 17. Is-Sinjura Johnson qed
torqod mas-seftura. 18. Is-Sur Johnson qed jorqod waħdu … mal-fatati.

Exercise 2

Past			
kantajt	irċevejt	stordejt	tradejt
kantajt	irċevejt	stordejt	tradejt
kanta	irċieva	storda	tradixxa
kantat	irċeviet	stordiet	tradiet

kantajna	irċevejna	stordejna	tradejna
kantajtu	irċevejtu	stordejtu	tradejtu
kantaw	irċevew	stordew	tradew

Present

nkanta	nirċievi	nistordi	nitradixxi
tkanta	tirċievi	tistordi	titradixxi
ikanta	jirċievi	jistordi	jitradixxi
tkanta	tirċievi	tistordi	titradixxi
nkantaw	nirċievu	nistordu	nitradixxu
tkantaw	tirċievu	tistordu	titradixxu
ikantaw	jirċievu	jistordu	jitradixxu

Exercise 3
1. studjax 2 tobdi 3. tpinġi 4. jiskorja 5. jiddajvjaw 6. stordiet 7. nsalvaw
8. jkanta 9. jikkmanda, jobdi 10. irċevejt 11. xolja 12. ittradixxa 13.
tipprova, tirnexxi.

Exercise 4
Issa ili nistudja l-Malti aktar minn sena. Ma nafx nesprimi ruħi sew (tajjeb)
bil-Malti iżda kuljum naqra l-gazzetta (l-ġurnal). Inħobb il-pittura (npinġi)
u mmur l-exhibitions t'artisti Maltin il-Mużew. Xtrajt ħafna kwadri li issa
huma mdendlin (mdendla) mal-ħitan ta' l-istudju tiegħi. Ma tantx inħobb
l-isport, iżda ibni (t-tifel tiegħi) jħobbu. Marti (il-mara tiegħi) tħobb il-kant
(tkanta) u dejjem tkanta fil-kamra tal-banju, fil-karozza tagħha, kullimkien.
Taħseb li hi Pavarotti ieħor. Il-ġimgħa l-oħra waħħluha għaxar liri għax
ipparkjat ħażin. Ma tħabbilx rasha għax kelli nħallas il-multa tagħha jien.
Is-seftura tagħna ma tkantax, iżda titkellem, anke żżejjed. Bin-nhar
tkellem lil kulħadd, anke lill-ħafna qtates u klieb li għandna fil-ġnien; bil-
lejl titkellem weħidha jew mal-fatati għax sikwit naraha nieżla fil-kantina
f'nofs il-lejl u nismagħha titkellem ... mal-fatati!? Min jaf?

193

TRANSLATION OF TEXTS

THE FIRST LESSON

What's This?

What's this?	That's a man.
What's this?	That's a woman.
Is this a man?	Yes, that's a man.
Is this also a man?	No, that's not a man.
What is it, then?	That's a boy.
A big boy or a small boy?	A big boy.
Is this a woman?	No, that's not a woman, that's a girl.
A big girl or a small girl?	A big girl.
Am I a boy or a man?	You're a man.
Are you a girl or a woman?	I'm a woman.
What's he?	He's a little boy.
What's she?	She's a little girl.
Are you students?	Yes, we're students.
Am I also a student?	No, you're a teacher.
What's this?	That's a book.
A new book or an old book?	A new book.
Are these also books?	Yes, those are also books.
New books or old books?	Very old books.
How many books are there?	One, two, three, four, five.
And what's that?	That's a big window.
And what's that?	That's a small door.
And what are those?	A wall, a floor, a ceiling, a table, a chair ...
What else?	Nothing.
What do you mean, nothing!	Oh! Yes, a teacher and students, you and us.

THE SECOND LESSON

Money's not Everything

What are those?	Those are books.
Where are the books?	On the table.
Who's there by the table?	The teacher.
What else is here in the room?	In the room, there are the students, the door, the window, the ceiling, the floor and the chairs.
What is this building?	A house.
How many rooms are there in	One, two, three, four, five, six, seven,

194

this house?	eight, nine, ten.
Well then, this is a big house.	Yes, very big.
Whose is it, this house?	A certain rich man's.
And whose is that black car?	The rich man's as well.
And whose is that white horse?	The rich man's as well.
Then does everything belong to the rich man?	Yes, everything belongs to the rich man.
That black car is beautiful, isn't it?	Yes, it's very beautiful.
And that big dog is beautiful as well, isn't it?	Yes, it's beautiful as well.
What's that in the street, a dog or a cat?	That's the rich man's black cat.
And what's that, (the) sun or (the) moon?	That's (the) sun.
The sun, does that belong to the rich man, too?	No, ha, ha, ha ...
The sun, no, but (the) money, yes!	And not only money, but his (the) children, his wife, the houses, the dogs and the cats... Everything belongs to the rich man.
Not like me, then, I'm poor.	Poor, but not ill. Money's not everything.
No, not everything. Bye.	Bye.

THE THIRD LESSON

At The Shop

Mr Camilleri is a doctor and has a house in the city of Valletta.

His wife, Marija, is very nice and warm-hearted.

Their children are pleasant as well.

They have a boy at University and a girl at secondary school.

The boy, John, is intelligent, he's always got his mind on books and he's always the first in class.

The girl, Doris, is not like her brother, she's always in front of the mirror.

John has no friends. In winter he's always at his mother's house and in summer at the seaside in Sliema.

Doris has lots of friends, boys and girls. She's always out with her friends, or at her grandmother's house.

John's tall, like his father.

Doris is short, like her mother.

John's clever, but always moaning: "Today it's hot, I'm not hungry ... today it's cold, I'm not thirsty; today it's windy ... today it's sunny ..."

He's always got something (to say)!

His sister, Doris, isn't like him: "Today a picnic; tomorrow a wedding; yesterday a disco ..." She's always happy.

Every morning, Mrs Camilleri goes to the baker's shop, to the butcher's, to the greengrocer's and to the grocer's.

Once a week she goes to the dressmaker's, the hairdresser's, and sometimes to the dentist's as well.

The doctor doesn't go to anybody's house, he's always at the pharmacy.

THE FOURTH LESSON

He's always drunk!

Look at that old man, going out like that!

Look at what he's wearing! Red shoes!

Poor thing, he thought today was Carnival.

Or he drank a little too much wine.

That's always the case.

What do you mean, it's always the case?

Well, yesterday he was drinking as well. He was drunk.

Why?

Because he was sad.

And today, why was he drinking?

Today, because he was happy.

Ha, ha, ha. Well, then he's always drunk.

Always. Yesterday another man bumped into him in the street.

Yes! Who was that?

His eldest son.

His eldest son?

Yes. He was drunk like him.

Is that so?

Certainly, the poor chap was drinking because he was sad that his father was drunk.

Ha, ha, ha. And then they were both happy together.

The old man fell in the street and all the traffic stopped.

Wasn't there a policeman there?

Yes.

Well then?

The policeman quickly sent for his wife.

He did the right thing.

Do you know where she was?

At home?

No.

At the church?

No.

In the street?

No.

Well then, where was she?

At the wine shop!

Ha, ha, ha. Poor thing, she was sad as well.

THE FIFTH LESSON

God Created Everything

Yesterday the teacher arrived late at school.

Therefore, the children were happy. They closed the door and made a lot of noise.

Joe, a naughty boy, is never quiet. Do you know what he did?

He jumped out of the window, went into the garden and picked an apple. As he was coming back into the class, the teacher arrived.

"Where have you been, Joe? How did you get out of the classroom?" asked (said) the teacher.

"Through the window, Sir. I jumped out of the window, went out into the garden and came in through the door," answered (said) Joe.

"What have you got there in your hand?"

"Nothing, Sir."

The teacher looked at him, sat down and opened his book.

We opened our books as well.

The lesson was on nature.

"Who created nature, John?" asked the teacher.

"God created nature, Sir," said John.

"Did God create everything, Pierre?"

"Yes, God created everything. He created the sun, the moon, the stars, the world, and the animals."

"Good. What else did God create, Marija?"

"The trees ... and last of all people."

"Who were the first people?"

"The first people were Adam and Eve."

"Where were Adam and Eve, George?"

"In the earthly paradise, the garden of Eden."

"Were they content in the earthly paradise?"

"Yes, but later on they broke God's command."

"Why?"

"Because they ate the apple."

"Who picked the apple, Joe ... Adam or Eve?" asked the teacher.

But Joe didn't have his mind on the problem. He had his head under the bench, and was eating the apple that he had picked from the school garden.

"Joe, who picked the apple?"

"Not me, Sir," said Joe.

Ha, ha, ha. Everybody laughed.

THE SIXTH LESSON

In Noah's Ark

A man and a woman went to a farm.

"How sweet! Look how many animals you've got!" said the woman.

"Yes, I've got lots" said the farmer.

"How many cows have you got?"

"Five. I've got five cows; three black and two white."

"That's a beautiful horse!" said the man.

"Yes, beautiful. I've got two horses here. I've also got three more in another field.

"Look how sweet those piglets are!" said the woman.

"Those are only one month old, ma'am."

"How much for one?"

"Those are five pounds each, ma'am."

"They're not expensive, are they, Ton," said the woman, and looked at her husband.

But the man had his mind on the chickens.

"Marija, look how sweet these chickens are!"

"Chickens, Sir? I've got lots of chickens. In this yard alone there are eighteen chickens, in that room there are sixteen more and in the field there are lots more."

"Then you've got lots of eggs!" said the man.

"Yes, eggs and chicks and ducks ... it's like Noah's Ark here, we've got all the animals ... except a donkey!"

Ha, ha, ha."

At that moment, his young son came home from school.

"Dad, what's six plus seven?"

"Thirteen."

"Thirteen! Not twelve?"

"No, thirteen."

"Well, the teacher was right then ... and do you know what else he said?"

"What did he say, son?"

"He said I was a donkey."

"Really! Well then, now we've got all the animals from Noah's Ark."

"Ha, ha, ha."

198

THE SEVENTH LESSON
Trouble at Home

The Gauci's are a big family; Ġanni, the father, Tereża, the mother, and seven children, three boys and four girls.

Ġanni is forty years old, Tereża is thirty-five, and Margerita, their oldest daughter, is eighteen years old.

Every morning, Ġanni goes to work early, at half-past six.

As soon as he goes, the trouble begins at home.

"This is mine."

"No, that's not yours, it's mine."

"Mum, yesterday I had a doll here, where is it?"

"Mum, where are my shoes?"

"Mum, is the coffee ready?"

"Pawlu, keep quiet."

Poor Tereża. Every day it's like that.

"This is mine; that's hers; I had this here; I had that there."

Tereża is a very dedicated mother.

"Wash your face. Margerita, wash Pawlu's face for him. Wash it for him."

"I've already washed it for him, Mum."

"Now, Pawlu, sit down."

"Wipe your face, Tonina. Margerita, wipe it for her."

"Put on your shoes, children. Put them on."

"We've put them on, Mum."

"Good. Now, open that window and close the door."

"Open it, Marisa, and you, Joe, close that door."

"Come inside, you." "Come out of the bathroom."

In the evening, during dinner, there's the same commotion.

"This meat's cold, this meat's tough, this fish is bony, this bread's not cooked, the water's warm, the wine's no good."

Some say one thing, and some say another.

Everybody's got something to say.

But Ġanni, the father, says nothing.

Finally: "Now, that's enough. Everybody to bed. Good night."

The children say their evening prayers and go to bed. But not Ġemma, the baby. She's with her Dad and Mum, in front of the television.

THE EIGHTH LESSON
A Tourist Office

Ring ... ring ... ring...

"What time is it?" said Helen.

"Eight o'clock!" and she jumped out of bed.

She went to the bathroom, washed her face, dressed quickly and left to go to work in the Valletta office.

Helen is a secretary. The office opens at half past eight. So she was afraid she wasn't going to get there on time. She lived in Gżira. She opened her car door, got in and went to Valletta. There was lots of traffic, and she arrived at the office a bit late, but nobody said anything.

Every day at the office, lots of people come in for information on tourism in Malta and Gozo.

"Good morning," said one of the tourists.

"Good morning, Madam, how can I help you?"

"I'm a tourist, and I'd like to go to Gozo; how do I do it?"

"Oh yes, Madam, at nine o'clock a bus leaves Valletta for Ċirkewwa. It arrives at Ċirkewwa about an hour later. As soon as the bus arrives, the boat leaves Ċirkewwa for Gozo."

"But, it's a bit late, now; it's five to nine. I'll have to take a taxi."

"The taxi's a bit expensive, but it would be best."

"Are there any hotels in Gozo?"

"Where would you like to go?"

"Marsalforn."

"Yes, in Marsalforn there's a lovely hotel."

"I want to stay on the beach, in the sun."

"Marsalforn's got golden sand, Madam, blue sea and scorching sun."

"Are there people as well?"

"People? Lots."

"Thanks very much, but I'd better go to Comino."

"In Comino there are lizards, but no people."

"That's good, nice and peaceful. How do I get to Comino from Ċirkewwa?"

"In a dgħajsa. You'll have to hire a dgħajsa."

"I'll have to hire a taxi; I'll have to hire a dgħajsa! No, it's too expensive. I'd better go to Sliema by bus. That's only 9 cents."

THE NINTH LESSON

Have Patience, Madam

Mrs Camilleri, the doctor's wife, had a maid called Karmena.

This maid was a very good woman, but she used to forget things a lot.

Every morning, the lady (of the house) used to tell Karmena what she had to do, and left for her friends' house.

"Open the windows; don't open the door; make the beds; don't put the carpet here; wash the dishes; don't wash the dog; sweep the floor; don't sweep the roof; shut the drawers; don't lock the rooms; work here; don't work there; do this; don't do that."

Karmena always said 'yes' and never 'no'.

As soon as the lady left the house, Karmena used to sit down and think what she had to do.

But, poor thing, she quickly forgot everything.

Instead of the dishes, she would wash the dog; instead of the rooms, she would sweep the roof, and instead of doing one thing, she would do the other.

One time, she went out to the market with her basket on her head and her hat in her hand.

Everybody laughed.

She went into the greengrocer's, "A kilo of beef," she said.

"You don't buy meat here, Madam, but from the butcher's" said the greengrocer.

When she arrived home, in her basket she had vegetables, eggs, fruit, cheese, but there wasn't any meat.

Karmena had left (forgotten) the meat at the grocer's.

So she had to go out again.

When she arrived back home, it was midday.

She went into the kitchen and began to fry the meat.

"What are you doing, Karmena? asked Mrs Camilleri.

"I'm frying the meat, Ma'am," answered Karmena.

"What! Lunch isn't ready yet?"

"No, madam, because I left the meat at the grocer's."

"Great! Now we won't eat before half past one!"

"No, Madam, have patience."

"I've been patient with you for a long time now, Karm."

"I can't help it, Madam."

THE TENTH LESSON

Madam, Everything Ready

Yesterday when Mrs Camilleri got back from Valletta, it was midday.

"Karm, you've done all that you were supposed to do, haven't you?"

"Yes, Madam, everything's ready."

"Have you opened the windows?"

"Yes, I've opened them."

"Made the bed?"

"Yes, I've made it."

"Have you swept the roof?"

"Yes, I've swept it."

"Good, Karm. What a clever maid I've got."

"Madam, I've done everything. The bedroom's clean and I've locked it."
"You've done well, Karm. Now I won't have to tell you any longer: 'do this; don't do that; wash this dress; don't wash that; sweep these rooms; don't sweep those; I'm going shopping, don't leave the house.' "
"No, Madam, there's no need. I can do everything on my own."
It's true, Karmena does everything, but she does everything wrong.
The day before was just the same. She didn't open the windows; she didn't sweep the roof; she didn't make the bed...
"And what are you doing now, Karm?" asked the lady.
"Lunch, Madam. Today I've made baked macaroni."
"Good, Karm. Is it ready?"
"No, but it soon will be. I'm cooking it."
"And the meat?"
"I did the meat on the fire."
"And the potatoes as well?"
"Yes, the potatoes as well. I washed them, cut them in half and did them with the meat."
"Well done, Karm. You've done the right thing. There's no better maid than you!"
But as soon as the lady opened the kitchen door ...
"My goodness! What a mess!" she said.
Everything was upside down. Chairs on the floor; the table was covered in dirty plates; black smoke was coming out of the oven; the dog was jumping and barking; the cat was coming and going, here and there.
"What have you done here, Karm?" said the lady.
"Nothing, Madam, everything's ready."

THE ELEVENTH LESSON
Who Drank The Whisky?

Mr and Mrs Johnson are English. They've lots of Maltese friends because they are very nice people, and they speak a few words of Maltese as well. Every morning, Mrs Johnson goes shopping on her own, and talks to the shopkeeper in Maltese.
"How much is this? How much is that? Have you got any pasta? Tea? Coffee? Bread? Could you give me 1.5 kilos of onions and two kilos of potatoes. Could you choose a nice melon for me. Nothing else. Can you write me the bill and send everything to my house, please?"
The shopkeeper is very nice; always smiling (laughing).
"Good morning Mrs Johnson. How are you this morning? Alright? What can I do for you today? 200g of ham? What else? Yes, Madam, sugar, butter, rice, eggs, salt, pepper and cheese. I've got everything ready for

you. Yes, I've got some nice pears. Shall I get you one *rotolo*? Nothing else? Yes, Madam, I'll write out the bill and send everything to your house with the boy. Goodbye, and give my regards to Mr. Johnson. Thank you very much."

Tereż, the maid, also speaks to her in Maltese.

"What can I do for you, Madam? What can I do for the master? Shall I open the windows for you? Shall I close the door for you? Shall I sweep the roof for you? Shall I make the master's bed? Shall I take the dog out? Shall I wash the dishes? The dining-room window's closed, shall I open it? The bedroom door's open, shall I close it? The master's car is dirty, shall I wash it for him?"

Mrs. Johnson sometimes understands, and sometimes doesn't.

"What did the master tell you to do for him this morning, Tereż?"

"He told me to wash his shirt and trousers; to wipe his desk; not to open the windows of his room; to write something in Maltese for him; and......"

"What else, Tereż?"

"Nothing else, Madam."

"He didn't tell you to drink his whisky, did he, but there's a smell of whisky in this room!"

"No, Madam, he drank the whisky himself before he went out."

"Oh really! I'll give him a piece of my mind when he comes back."

THE TWELFTH LESSON
The Maltese News

Mrs Johnson has also begun reading things in Maltese. Every morning after the housework she opens the newspaper and begins to read. She doesn't understand everything, but she can always tell you what's happening in Malta and Gozo. Her maid reads the difficult words for her, and together the two of them read long articles.

"Tereż, what news have we got today?" said Mrs Johnson.

"Read this, Madam."

Mrs Johnson reads: 'Yesterday there were lots of accidents. Lightning hit a worker who was building a house, and burned him. A boy who'd been running on the roof, fell to the ground. A car ran away, crashed into a shop and killed a woman.'

"What a lot of accidents are happening in Malta, Madam," said Tereż to her.

"That's right, every day there are accidents."

At that moment, the church clock struck midday.

"Tereż, what time is it?"

"Midday."

203

"Oh my goodness! The lunch! I've forgotten it!" said the lady, and ran off into the kitchen.

On the fire she had a big cabbage that she'd stuffed with meat. Poor cabbage!

The lady had to throw everything away.

"Quick, Tereż, fill another pot with water for soup. Fry the meat and potatoes for us, and grill a fish for the Master. Quickly, because it's already midday."

Poor Mrs Johnson; what a lot of money the blessed Maltese news had cost her.

When Mr Johnson returned from Valletta, he said to his wife: "Do you know who I saw in Valletta?"

"Who?" asked Mrs Johnson.

"Marija, Doctor Camilleri's wife. She gave her regards, and told you to carry on reading the news in Maltese, so that you can learn Maltese."

THE THIRTEENTH LESSON
St. John's Cathedral

The Johnsons have been in Malta for three years and have been studying Maltese for two. Since they've been here, they have visited many historical places and old churches throughout Malta and Gozo. They've made friends with lots of Maltese people, and got used to our customs and climate. Every morning Mr Johnson gets up at nine o'clock and stays in the bedroom for half an hour, reading the newspaper.

But today, he got up early because he wanted to visit St John's Cathedral. This was the third time that he's been to this beautiful church. Mrs Johnson got up with him and they left together for Valletta.

In the church they found lots of English and German tourists.

A Maltese man was telling them about the Caravaggio painting.

What a beautiful picture!

Others were looking at the monuments of the Grand Masters of the Order, that are on the church wall.

Lots of Knights died in the Great Siege of 1565.

The painting on the ceiling depicts the whole life of St. John, the patron saint of the Order of the Knights.

During his life, St. John wanted to fast for many days when he was living in the desert.

Mr Johnson spent a long hour looking at the other pictures in the church, in which there were birds flying in the sky, fish swimming in the sea, the sick recovering from their dreadful illnesses, Jesus Christ helping the poor, a mother kissing her baby and people bringing lots of poultry in boxes to sell in the temple.

After they had been round the whole church, the Johnsons went down to the crypt, under the floor, where there is the tomb of Jean Parisot de la Valette, the famous Grand Master from the Great Siege.

This Grand Master remains in the history of Malta, especially in the name of Malta's capital city, Valletta.

THE FOURTEENTH LESSON
Carnival in Malta

During Lent, many Maltese people used to fast; some of them even ate only bread and water. But before fasting, they had three days of Carnival. Sunday, Monday and Tuesday before Ash Wednesday, in the afternoons, the whole of Malta goes to Valletta to see the floats, the dances and the beautiful Carnival costumes.

On the Sunday, the Carnival King opens the long defilé of floats. Sitting on a big throne, with a golden crown on his head, a white beard and red clothes, lots of beautiful girls around him, happy and smiling because the Carnival has begun. In the street all the people, old and young, laugh and jump up at the Carnival King.

Then the long defilé of floats begins, each one bigger and more beautiful than the others; there are lots of tall and ugly faces, bands and *karozzini* with people dressed in Carnival clothes. Some dress up like villagers with rabbits in their hands, some dress up like lawyers, with top hats on their heads, some like Cowboys on a white horse. You can see people dressed up as everything; you see the tallest and the shortest men, the thinnest and fattest women, the most beautiful and ugliest faces.

On the Monday, in the *piazza* behind city gate there are costume dances in front of the people sitting round the square; the costumes are beautiful and very expensive, and the dances are even more beautiful than they are. Everybody has something to say about them.

Some say: "This costume is nicer than that."

Some say: "No, this one's not as nice as that."

This woman says: "That's the most beautiful one."

This man says: "No, that's just as beautiful as this one."

Anyway, after all, they're all beautiful. It's difficult to decide. Whoever comes first in the costumes or the dancing gets a lovely prize. But there are lots of prizes, and both the old and the young are pleased with them.

On the Tuesday, the final day of Carnival, everything happens together; floats in the streets and dancing in the square. Everybody wants to have the last bit of fun, and dance until the end. When it gets dark people slowly begin to go home, but the young people stay outside, running and jumping after the Carnival King. The adults go to sleep because the next day Lent begins, and fasting.

THE FIFTEENTH LESSON
Happy Easter

As soon as Carnival has finished, Lent begins, which lasts for forty days. During this time, some pray and some fast. On Ash Wednesday, the priest, after saying Mass, sprinkles a little ash on people's heads.

On the Friday before Good Friday there are processions with statues of Our Lady of Sorrows in all the cities and villages of Malta. On that day both the young and the old walk and pray behind Our Lady of Sorrows, some of them in bare feet. In Valletta there are so many people that it's scarcely possible to find anywhere to stand.

On Good Friday there are processions with statues that depict the passion of Christ. The first statue shows Christ praying under the olive tree. Behind this statue lots of children walk with wooden crosses in their hands. Then there's the statue of Christ falling on the floor, and finally, the one of Christ dying on the cross. Because there are so many statues and people taking part, the procession starts and stops, getting stuck here and there. In a word, it crawls; and takes ages to get back to the church. But although the procession takes a long time, it's beautiful, with a band and singers behind the last statue.

After winter comes spring; after the tears comes happiness. At last, Easter comes; the biggest church festival. Everyone is happy because Christ rose from the dead and went to heaven. After death, we will also rise with him and inherit paradise for ever. The children are happier than the adults, though, with their Easter eggs and *figolli*.

Outside, nature is happy as well; the bright red spring flowers open and the birds fly in the skies.

Everybody stops and says: "Happy Easter." "You too."

THE SIXTEENTH LESSON
A Narrow Escape

Everybody loved Brother Ċelest. He was full of health, a little short but light as a feather. Above all, he was always kind-hearted, sometimes unloading a cart for a farmer, then he would carry sacks of wheat for this farmer, then hold a donkey's rein for that one. When the *festa* was approaching, nobody collected more money than he did. From the moment he rang the bell for the last Mass, until sunset, he would run around the whole village with a bag on his back, collecting for the *festa*.

"Anything for the *festa*," said Brother Ċelest with a smile on his face and

206

his hand held out for money.

Everybody gave him something because everybody loved him.

But one time, a thief appeared from behind a wall to steal his bag of money. He had a gun in his hand and as soon as he came in front of the Brother, he stopped and held it out in front of him.

"Brother Ċelest," he said to him, "if you give me what you've got in the bag, we'll be friends, otherwise..."

"Brother Ċelest felt his blood boil, but didn't lose his temper.

"Everything I've got is yours if you do what I say," he said to him.

"Look, I'm going to put the bag on this wall and you shoot at it," added Brother Ċelest.

"Why?" asked the robber.

"Because then Father Superior won't think badly of me. Do you understand why?" answered Brother Ċelest.

"I understand, Brother. You've got a point. Hang up the bag, Brother," and he pointed the gun.

Bang, bang, bang ... and the bag was reduced to dust. Brother Ċelest quickly grabbed him by the arms, squeezed him tight and hit him on the head a few times, as he knew how. The thief fell on the floor, unconscious. Brother Ċelest picked up the money and gun from the floor.

"Bye, Ġuż," he said, and left for the convent.

When he arrived at the convent, he found the sacristan at the door.

"Brother," said Brother Ċelest, "Put this gun in front of the statue of St. Francis. It's an offering from a man for having escaped death."

THE SEVENTEENTH LESSON
Malta At War

The feast of Santa Marija falls on the fifteenth of August. It's a feast in which we celebrate the ascension of Our Lady to heaven, but also the arrival of the 1942 convoy in Grand Harbour. On that day the food arrived that had been long awaited by the Maltese who had nothing left to eat. To get this food through, many people died, many ships sank and many aeroplanes crashed. What could those ships do against the attacks from enemy aeroplanes, which took off from Sicily? Only a few of them arrived in Malta; the others all sank. Every single Maltese packed the battlements of the cities around the Grand Harbour to welcome the brave sailors and give them a warm welcome.

Those were hard times for us Maltese. The air raids didn't stop for anything. Lots of beautiful houses and churches were destroyed, and many Maltese were killed.

Fifty years later a War Monument was built near the Lower Barrakka and

Queen Elizabeth II, together with her husband, Prince Philip, Duke of Edinburgh, came for its opening. The big bell inside the Monument rings every Sunday so that we Maltese always remember those people who gave their lives for us.

Another big feast is that of Our Lady of Victories, on the eighth of September, which commemorates the victory of the Knights and the Maltese against the Turks in the Great Siege of 1565. This national feast has survived from that time until the present day in many parishes of Malta and Gozo. There are also boat races in the Grand Harbour, which attract many people. There is a religious ceremony as well in St John's Cathedral (presided) by the Bishop of Malta, but also civil and military ceremonies, that are attended by the President and Prime Minister of Malta together with many important dignitaries from Malta and abroad.

The feast of Victory is the last of the many religious feasts that take place every summer Sunday in Malta and Gozo.

Those who don't like the great heat of the summer rejoice when Autumn arrives with a little rain which we need so much.

THE EIGHTEENTH LESSON
Malta, An Independent Republic

In the sixteenth lesson we came across the word *Randan*, an Islamic word, as is the word *Alla*. Both words can be found in the Moslem Arab world. Although we Maltese are Christians, we have adopted many Arabic words in our religion, among them are: (the words for) baptism, confession, Holy Communion, faith, penance, saint, the Holy Spirit, and others, words that can be found among the Christian Arabs of the Middle East. These words remind us of the Arab occupation of Malta, which began in 870 A.D.

The Arabs spread their faith among the Maltese, who at that time were Christians. Our forefathers had embraced the Christian faith in the year 60 A.D. when St Paul, whilst he was sailing to Rome, came across a big storm and the high seas smashed his ship against our coast. During the Arab rule the Christian Maltese used to pay a tax called the ħaraġ, which was paid on top of that paid by the Moslems. The Christians weren't slaves but neither were they citizens; they were servants. The Arabs introduced many trees to these islands, among them, cotton, oranges and lemons.

The Arab rule came to an end with the arrival of the Normans in 1090, but lots of Arabs stayed here in Malta. During the 200 years that they were here, the Arabs gave us their language, a beautiful and rich language, that we still speak to this day.

After the Normans we had many other foreign rulers, among them the Spanish, the Knights, the French and last of all, the British. During this time, we have changed the Arabic language a lot because we've introduced lots of Italian, Sicilian and English words.

On the 21st September, 1964, Malta became an Independent Republic after hundreds of years of foreign colonization. This means that now we Maltese, like other people, can rule our own country by ourselves. Independence is great, but it means responsibility. It doesn't mean we should destroy the good things that other nations have given us, but we should build on them and at the same time respect the heritage of our forefathers, the customs, the language and the Christian principles that they've handed over to us.

THE NINETEENTH LESSON
Everything Turned To Dust

Salvu didn't like work because he was lazy. Every morning after breakfast he used to put his head on the kitchen table and go back to sleep. But he used to make his wife, Rita, work from the moment she got up until she went to bed. So Rita wanted them to go abroad, so that perhaps he might change. They did this, and moved to a country a long way away. But Salvu didn't change; he stayed as he was … lazy.

"Salv, if you want us to become rich, you'll have to work as well, not just me. Look, in this country where we've come to live, everybody's rich. Why? Because everybody works, and works hard," his wife often used to say. Rita was ambitious and used to envy those rich people.

"Salv, if we were rich like those people, we would buy a big house, we would buy a beautiful car, we would go abroad, and see lots of countries, we would…," she used to say, nearly every day.

"We will be rich, Rit," Salvu would say, "but not through work. I promise you before long we'll have lots of money and we'll buy a big villa, and clothes and food like these rich people."

Rita used to look at him, laugh and pamper him, so that he would begin to work.

"You don't just stumble across a fortune, Salvu," she used to say to him.

"You never know, maybe I will, Rit," Salvu used to answer.

One evening while Salvu was walking, thinking about money and his fortune, he saw a beautiful woman in front of him.

"Salvu, look, all this money's for you," she said to him and showed him her hands, full of money. Give me the sack that you've got and I'll fill it for you, but I want to explain to you that what falls into the sack will turn to gold, and what falls on the ground will turn to dust. Do you understand?"

"Yes, yes, I understand," answered Salvu who wanted to jump for joy. "At last I've found the fortune that I've dreamed about. Bless this country where you can stumble across a fortune in the street and become rich in no time at all without working," he said to himself, and opened wide the big sack that he had.

The woman began to fill it with money for him, and it turned to gold. The sack was old. "What shall I do? Stop? asked the woman.

"A little more," answered Salvu. The sack was now full.

"Now it's full to the brim, I'd better stop," repeated the woman.

But Salvu had his mind on the gold, and not on the woman's words.

"A little more, a little more, please," answered Salvu.

The woman dropped in a few more gold coins for him and 'pop' went the sack. The gold fell on the floor and turned to dust. The woman disappeared. Salvu began to cry like a baby. When he arrived home he said to his wife: "Rita, today I found my fortune in the street."

"Really, Salv! Then we're rich, just like I've always wanted," replied Rita.

"No Rita, you're wrong; we've become even poorer than we were before," and he showed her his sack, split in two.

THE TWENTIETH LESSON
A Blind Man Watches Television

When I was a little boy, my father once told me this story:

"As you enter the Cathedral of St John's in Valletta, there's a blind man who begs for charity. People say he was born blind, but nobody knows for sure. He wears black glasses and has a placard in his lap that says: 'blind'. When he walks, he leans on a thick stick, with his head bowed down to the ground. Sometimes he talks to his big dog, who always sits near him in the sun. 'Can you give some charity, Sir, to a blind man,' you hear him say. One time a rich man dropped a small ten cent coin into the hat that he had in his hand. After he'd gone a little way from him, the rich man turned around again because he'd left something in his car which was parked in Merchant Street, and went to get it. The blind beggar looked at him and said: 'Here, Sir, this coin you gave me's no good.'

'No good? ... Why?' answered the rich man. 'Because it's not Maltese, but Italian.' The rich man took the coin in his hand and after examining it, answered: 'That's right, this coin isn't Maltese, but Italian. But if you can see me and my money so well, you're not blind!'

'No,' answered the beggar,' I'm not blind. The blind man that's here every day is my brother. Today I'm here instead of him.'

'And your brother,' asked the rich man, 'where's he today?'

'He went to borrow some money,' answered the beggar.

'Borrow money! ... Why?'

'To buy a new television because the one we had fell over and smashed to pieces.'

The rich man was very nice and didn't argue with the beggar. He put his coin in his pocket and left, laughing heartily.

'Can you give some charity for a blind man,' said the beggar.

The next day the rich man went past the beggar once again, and dropped him another ten cent coin.

'These ten cents are Maltese not Italian. Do you understand?' he said to him.

'Yes, Sir. Thank you very much, Sir. God bless, Sir,' he said."

As my father was finishing the story, my mother came in from outside. "What are you telling the boy?" she said to him, and gave him a stern look. "It's not true," she said to me, "That beggar near St John's was born blind." "Oh, come on, don't you know I was joking," my father said to her. "This is a joke that a friend told me, and he was told it by a friend of his."

THE TWENTY-FIRST LESSON
How Thieves Are Robbed

It was winter. One evening, Ali Baba wanted to chop some wood to heat up his house, because it was cold. So he bought a lot of sacks and left for the Green Forest, with his donkey. This was a big forest. It was often said that people disappeared in it, that the sound of horses could be heard, and also that dead bodies could be found on the ground.

Ali Baba thought these were all fairy stories and so he was never scared of anything. But that night, for the first time, he was scared of being alone. The fear grew when he got lost and couldn't find his way.

Suddenly he heard the sound of horses coming towards him. He quickly hid behind a big tree. When the horses arrived near him, they stopped and forty thieves got off them. One of them went up to a rock and said: "Open". Suddenly a big stone opened up in the rock, and a big, deep cave appeared. Then all the thieves went into the cave. After about fifteen minutes they came back out again. They all had sacks full of gold on their backs. One of them went in front of the rock, and said: "Close", and the cave's stone closed.

After the thieves left, Ali Baba quickly came out from behind the tree and did as they had done. "Open", said Ali, and the stone opened. Ali went into the cave and filled all his sacks with gold. He loaded the sacks on his donkey and left for home.

When he arrived, his wife thought he was drunk because he was so happy. "Rejoice, wife, rejoice ... look ... gold ... thieves ... forest ..."

"What are you saying? What are you babbling about? Speak clearly. Which thieves? Are you a thief? Have you been stealing? ... How?"

"No, I'm not a thief ... those thieves ... the foresters ... I saw them going into the cave ... and ... I stole all their gold from them ..."

"You see, I was right ... you are a thief!" his wife said to him.

"Whoever steals from a thief isn't a thief himself, isn't that true?" he answered.

"I don't know, I don't know ... anyway, where's the gold? ... now, is this ours for ever?"

"Yes, it's ours for ever ... we're rich."

When all the gold had been weighed, Ali Baba found that he would be rich for the rest of his life. From that day onwards the sound of horses could no longer be heard in the Green Forest.

THE TWENTY-SECOND LESSON
Those Who Wait Are Comforted

Once upon a time there was a dog. This dog's master had got rich in a short time and wanted to hold a banquet for his friends. The dog was very happy when he heard about the meal and he wagged his tail with joy.

"I know what I'll do," he said to himself, "this evening I'll go to the market to invite another dog, my friend." And he did this.

That night the dog waited for the front door to open, and went out to the market. When he arrived, he stopped to rest and saw another dog, which was white, sheltering under a table.

"What are you doing?" he asked him.

The white dog woke up from a long sleep and "What did you say?" he answered.

"Look, this evening my master's invited his friends to a big feast. Come with me and we'll have a sumptuous dinner. Come on, I'll get you into my master's kitchen." And they left.

On the way they talked a lot about the good food they would eat and the milk they'd drink. They met other dogs, friends of the white dog. These dogs were amazed when they heard about the meal and asked if they could come as well.

"No, not you," answered the white dog. "This dog, my friend, only invited me, not you."

He was hard-hearted, this white dog.

The other dogs stayed waiting outside whilst the white dog, together with his friend, went into the rich man's house.

But when the servants saw him, they grabbed him by the tail and threw him outside. The other dogs rushed up to him and asked him,

"Was the food good?"

The white dog was ashamed, he blushed and put his tail between his legs.

He hung his head and went off.

The other dogs stayed where they were, waiting outside the kitchen. When it got very dark and the rich man's friends had eaten and drunk to their hearts' content, the door opened and the servants threw out the leftovers.

All the dogs had a feast and went home with full stomachs.

On the way they met the white dog.

"Good night," they said to him, "those who wait are comforted."

THE TWENTY-THIRD LESSON

These Blessed Festas

Mr Tonin was rich but he was also very scared of being robbed. He never left his house empty for one moment. His room was always dark, the windows shut and the door locked with a big key. When the front door rang, you could hear him quickly sliding a heavy table, moving a big vase on it, and grumbling and murmuring who could it be.

One time, his wife, Filomena, wanted to go to Mdina for the *Imnarja* festival, and Mr Tonin was terrified that, for the first time in his life, he'd have to leave his house unattended. After locking up and bolting everything, and leaving the dog tied up in the yard, he left with his wife.

They arrived in Mdina, went into the Cathedral, went round the whole city, and at seven o'clock in the evening found themselves back in front of their house. Mr Tonin searched in his pockets and could not find the key.

"Goodness gracious," he said "where's the key?"

"Haven't you got it?" asked Filomena.

"I can't find it. It's not in your handbag, is it?" he asked her.

"No," she said to him, "the last time I saw it, it was in your hand as we were leaving."

"In my hand?"

"Yes, you didn't leave it on the table, did you?" asked Filomena.

Mr Tonin's face went white.

"That's it," he said "I left it on the table before we left."

"Now what are we going to do?" asked Filomena again.

"Goodness knows!" said Mr Tonin, "everything's locked up."

It wasn't long before Mr Tonin was ranting and raving like a mad man. "These blessed *festas*! I told you we shouldn't go."

Filomena, for some reason, peeped through the keyhole, and "Good heavens! There's a light on inside," she screamed: "thief, thief ..."

At the word 'thief', Mr Tonin blinked his eyes, burbled something and fell to the floor.

They quickly got a big ladder from the church and a policeman climbed up

213

it, broke a small window and went inside. With his truncheon shaking in his hand, the policeman began to go down to where the light was.

"Come out from there," said the policeman, "come out I said."

"Miaow," answered a cat, "miaow ..."

"Bless you," said the policeman to it, "what a fright you gave me!"

There weren't any thieves in the room. Embarrassed, the policeman opened the front door and everybody went inside.

"Where's the thief?" asked Mr Tonin, terrified.

"There are no thieves here, Mr Tonin," answered the policeman. "Tell me something, Mr Tonin, who left the light on before you went out?"

"Not me," answered Mr Tonin. "Not you!" asked Filomena, "then who was the last to go into the kitchen, to close the door?"

THE TWENTY-FOURTH LESSON
Sleeping With Ghosts

Mr Johnson has now been studying Maltese for a year. He doesn't know how to express himself very well, but he's capable of reading long articles on art in the newspapers, because Mr Johnson really loves art. His clerk types him lots of letters to the editor on this subject. He loves painting and receives many journals on modern painting. He also likes sculpture, but not as much as painting, although he's made some very nice statues. His house is full of pictures of Maltese landscapes, and by foreign artists.

His son, John, is mad on sport and his father gets angry with him because he doesn't obey him and goes to football training instead of studying. Yesterday he played a football match, he took a shot and scored, but he hit his head on the goal-post, fainted and was taken to hospital. He often travels to other countries and loves it when his aeroplane dives towards a port where there are lots of big ships.

Mrs Johnson loves singing and all the time she sings a Verdi opera. She's got a lot of respect for her maid and driver, and treats them very well. When the maid makes a mistake or breaks a glass or a plate, the lady is very patient and slowly explains things to her in a reasonable way. The poor driver skidded in the car because it was raining, and hurt himself badly. Now the maid is driving, but she's scared of crashing. A policeman gave her a fine because she'd parked in the wrong place. Poor maid, she had to pay Lm10, a whole day's pay.

The maid is scared of dogs, of cars, of the police, but she's very scared of ghosts. In the evening she doesn't go down to the basement because there are ghosts, she doesn't go upstairs because it's dark, she doesn't go into the blackened room because she might see a spirit. When she sleeps, she puts five blankets on top of her and hides her face under the sheet.

Once, Mr Johnson dressed up like a ghost and went slowly into her room. You can't imagine how much she screamed. Now she doesn't want to sleep alone any more. She sleeps with Mrs Johnson.

Poor Mr Johnson sleeps on his own ... with the ghosts. Ah! Good heavens!